Matemáticas

Quinto grado

Matemáticas. Quinto grado fue desarrollado por la Dirección General de Materiales Educativos (DGME) de la Subsecretaría de Educación Básica, Secretaría de Educación Pública.

Secretaría de Educación Pública
Alonso Lujambio Irazábal

Subsecretaría de Educación Básica
José Fernando González Sánchez

Dirección General de Materiales Educativos
María Edith Bernáldez Reyes

Coordinación técnico-pedagógica
María Cristina Martínez Mercado, Ana Lilia Romero Vázquez, Alexis González Dulzaides

Autores
Diana Karina Hernández Castro, Víctor Manuel García Montes, Miguel Ángel León Hernández, Jesús Manuel Hernández Soto, Elvia Perrusquía Máximo, Pilar Donají Castillo Alvarado, Christian Arredondo Díaz

Revisión técnico-pedagógica
Ángel Daniel Ávila Mujica, Daniela Aseret Ortiz Martinez, Margarita Soto Medina

Asesores
Lourdes Amaro Moreno, Leticia María de los Ángeles González Arredondo, Óscar Palacios Ceballos

Coordinación editorial
Dirección Editorial, DGME/SEP
Alejandro Portilla de Buen, Pablo Martínez Lozada

Cuidado editorial
Edwin Rojas Gamboa, Citlali Yacapantli Servín Martínez

Producción editorial
Martín Aguilar Gallegos

Formación
Abraham Menes Núñez, María del Sagrario Ávila Marcial, Magali Gallegos Vázquez

Portada
Diseño de colección: Carlos Palleiro
Ilustración de portada: Rocío Padilla

Servicios editoriales (2010)
Chanti Editores

Diseño y diagramación
Agustín Azuela de la Cueva

Ilustración
Santiago Rosales, Elvia Leticia Gómez Rodríguez, Ericka Zarco Aguilar, Leopoldo Río de la Loza, Alma Rosa Pacheco Marcos

Agradecimientos
La Secretaría de Educación Pública agradece a los más de 40 284 maestros y maestras, a las autoridades educativas de todo el país, al Sindicato Nacional de Trabajadores de la Educación, a expertos académicos, a los Coordinadores Estatales de Asesoría y Seguimiento para la Articulación de la Educación Básica, a los Coordinadores Estatales de Asesoría y Seguimiento para la Reforma de la Educación Primaria, a monitores, asesores y docentes de escuelas normales, por colaborar en la revisión de las diferentes versiones de los libros de texto llevada a cabo durante las Jornadas Nacionales y Estatales de Exploración de los Materiales Educativos y las Reuniones Regionales, realizadas en 2008 y 2009. Así como a la Dirección General de Educación Indígena y Dirección General de Desarrollo de la Gestión e Innovación Educativa.

La SEP extiende un especial agradecimiento a la Organización de Estados Iberoamericanos para la Educación, la Ciencia y la Cultura (OEI) y al Centro de Investigación y de Estudios Avanzados del Instituto Politécnico Nacional por su participación en el desarrollo de esta edición. Así como a la Dirección General de Desarrollo Curricular de la Subsecretaría de Educación Básica por haber autorizado para este libro el uso de algunas propuestas e ideas de materiales elaborados por ésta.

También se agradece el apoyo de las siguientes instituciones: Universidad Nacional Autónoma de México, Centro de Educación y Capacitación para el Desarrollo Sustentable de la Secretaría del Medio Ambiente y Recursos Naturales, Sociedad Matemática Mexicana, S. C., Secretaría del Trabajo y Previsión Social, Ministerio de Educación de la República de Cuba.

Asimismo, la Secretaría de Educación Pública extiende su agradecimiento a todas aquellas personas e instituciones que de manera directa e indirecta contribuyeron a la realización del presente libro de texto.

Matemáticas. Quinto grado

se imprimió por encargo de la Comisión Nacional de Libros de Texto Gratuitos, en los talleres de Compañía Editorial Ultra, S.A. de C.V, con domicilio en Centeno No. 162, local-2, Col. Granjas Esmeralda, C.P. 09810, México, D.F. en el mes de junio de 2011. El tiro fue de 2'901,850 ejemplares.

Impreso en papel reciclado

Presentación

La Secretaría de Educación Pública, en el marco de la Reforma Integral de la Educación Básica, plantea una propuesta integrada de libros de texto desde un nuevo enfoque que hace énfasis en la participación de los alumnos para el desarrollo de las competencias básicas para la vida y el trabajo. Este enfoque incorpora como apoyo Tecnologías de la Información y Comunicación (TIC), materiales y equipamientos audiovisuales e informáticos que, junto con las bibliotecas de aula y escolares, enriquecen el conocimiento en las escuelas mexicanas.

Después de varias etapas, en este ciclo se consolida la Reforma en los seis grados y, en consecuencia, se presenta esta propuesta completa de los nuevos libros de texto, que abarca la totalidad de las asignaturas en todos los grados.

Este libro de texto incluye estrategias innovadoras para el trabajo escolar, demandando competencias docentes orientadas al aprovechamiento de distintas fuentes de información, el uso intensivo de la tecnología, la comprensión de las herramientas y de los lenguajes que niños y jóvenes utilizan en la sociedad del conocimiento. Al mismo tiempo, se busca que los estudiantes adquieran habilidades para aprender de manera autónoma, y que los padres de familia valoren y acompañen el cambio hacia la escuela mexicana del futuro.

Su elaboración es el resultado de una serie de acciones de colaboración, como la Alianza por la Calidad de la Educación, así como con múltiples actores entre los que destacan asociaciones de padres de familia, investigadores del campo de la educación, organismos evaluadores, maestros y expertos en diversas disciplinas. Todos han nutrido el contenido del libro desde distintas plataformas y a través de su experiencia. A ellos, la Secretaría de Educación Pública les extiende un sentido agradecimiento por el compromiso demostrado con cada niño residente en el territorio nacional y con aquellos que se encuentran fuera de él.

Secretaría de Educación Pública

Conoce tu libro

El aprendizaje que adquieras al trabajar con tu libro de Matemáticas te brindará herramientas para encontrar soluciones a diversos aspectos de tu vida cotidiana.

Tu libro de Matemáticas consta de cinco bloques. Cada uno te brinda herramientas, como el razonamiento y el pensamiento deductivo, por medio de las actividades que se proponen en cada lección. También favorece la interpretación y análisis de la información con el fin de resolver situaciones matemáticas.

Cada bloque contiene:

Integro lo aprendido

Su objetivo es que apliques los conocimientos y habilidades que consolidaste durante todo el bloque en la resolución de las situaciones propuestas.

Lecciones

Con actividades que puedes llevar a cabo individualmente, en pareja, en equipo o con todo tu grupo.

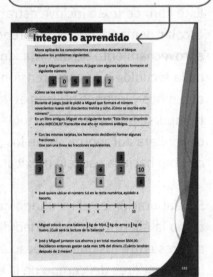

Autoevaluación

Su propósito es que valores los aprendizajes, tanto conocimientos como habilidades, que desarrollaste durante el bloque completando la tabla y analizando lo que tienes que seguir trabajando.

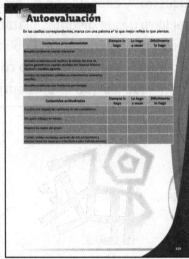

Evaluación

Se te presentarán tanto ejercicios como problemas en los que podrás elegir la respuesta correcta entre cuatro opciones y en algunos casos tendrás que escribir una respuesta breve.

A lo largo de la lección encontrarás:

Ejercicios y problemas en los que desarrollarás diferentes estrategias y procedimientos para darles solución.

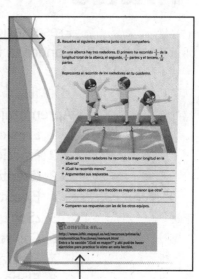

Lo que conozco

Aquí resolverás un problema aplicando los conocimientos adquiridos en otros grados o en bloques previos. De ésta forma te prepararás para emprender nuevos aprendizajes.

En algunas lecciones identificarás las siguientes secciones:

Consulta en

Donde podrás ampliar y ejercitar tus aprendizajes. El icono que los distingue te recuerda efectuar la búsqueda en Internet acompañado de un adulto.

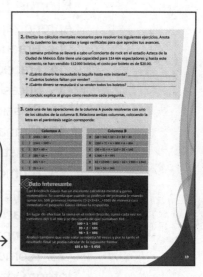

Un dato interesante

Información curiosa y a veces poco conocida.

Reto

En esta sección tu conocimiento será puesto a prueba por medio de problemas en donde el grado de dificultad aumenta de acuerdo con lo visto en la lección.

Con ayuda de este libro además de acrecentar tus conocimientos desarrollarás habilidades matemáticas de gran utilidad.

Índice

Bloque I

Aprendizajes esperados

- Resuelve problemas en diversos contextos que implican diferentes significados de las fracciones: reparto y medida.
- Resuelve problemas de conteo usando procedimientos informales.
- Traza triángulos y cuadriláteros con regla y compás.
- Analiza la relación entre perímetro y área e identifica las medidas para expresar cada uno.
- Construye planos de casas o edificios conocidos.
- Calcula el perímetro de diversos polígonos.
- Elabora, lee e interpreta tablas de frecuencias.

Significado y uso de los números

Números naturales
Resuelve problemas conociendo el valor posicional de los números.

El **valor posicional** y el **dinero**

Lo que conozco. Resuelve las operaciones siguientes, como en el ejemplo.

56 x 8 = (50 + 6) x 8 = (50 x 8) + (6 x 8) = 400 + 48 = (4 x 100) + (4 x 10) + 8 = 448

73 x 9 = _____

87 x 24 = _____

1. En parejas, lean con atención el siguiente problema y contesten las preguntas.

❖ Alma tiene 2 hijas y quiere comprarle a cada una un televisor que cuesta $1 859.00. ¿Cuánto pagará por los dos televisores? _____

❖ ¿Cómo puede pagar, utilizando la menor cantidad posible de billetes y monedas, si tiene 5 billetes de $1 000, 15 billetes de $100, 10 monedas de $10 y 20 monedas de $1? _____

_____

_____

En la tienda donde Alma compró los televisores también se venden los siguientes productos:

Carlos, Rosa y Pedro fueron a la tienda y compraron algunos electrodomésticos. Ninguno de ellos compró dos iguales.

Nombre	Cantidad que llevaba
Carlos	3 billetes de $1 000, 9 billetes de $100, 7 monedas de $10 y 2 monedas de $1
Rosa	8 billetes de $1 000, 9 billetes de $100
Pedro	3 billetes de $1 000, 5 billetes de $100

❖ ¿Qué artículos pudo comprar Carlos con el dinero que llevaba? _____
_____

❖ Rosa compró 3 artículos y le sobraron $3 104.00. Qué artículos fueron? ___
_____
_____
_____

❖ Con el dinero que llevaba, ¿le alcanzó a Pedro para comprar la lavadora que necesitaba? _____
_____

❖ ¿Por qué? _____
_____
_____
_____

2. Organizados en equipos resuelvan la actividad.
Observen el ejemplo.

2 381   **2 357**

5 en lugar de 8   ___2 387 – 30___

En el ejemplo se cambió una cifra por otra. En la línea se indicó la operación que se debe llevar a cabo para obtener el otro número a partir del primero.

Ahora cambien una cifra por otra, como se indica en cada caso, y anoten en la línea la operación que deben llevar a cabo para obtener el nuevo número.

4 326

5 en lugar de 3   _____

35 621

9 en lugar de 5   _____

47 536

3 en lugar de 4   _____

235 480

4 en lugar de 2
y 1 en lugar de 0   _____

3 154 879

8 en lugar de 7
y 0 en lugar de 9   _____

¿Qué relación hay entre el lugar que ocupa la cifra que cambia y lo que vale el número? Comenten con otros equipos el procedimiento que siguieron. Utilicen una calculadora para verificar que sus operaciones y respuestas son correctas.

El **valor posicional** indica que un dígito posee un valor diferente dependiendo de su posición relativa, es decir, si éste representa unidades, decenas, centenas, unidades de millar, etcétera.

Observa el caso del número 5 249 en la tabla.

Unidad de millar	Centena	Decena	Unidad
			9
		4	0
	2	0	0
5	0	0	0

Consulta en...

En la siguiente página podrás practicar lo visto en esta lección, retando a tu creatividad. http://descartes.matem.unam.mx/PUEMAC/PUEMAC_2008/matechavos/ calculadora/html/escribe/html/escribe.html

2

Fracciones
en el camino

Lo que conozco. Contesta las siguientes preguntas utilizando fracciones.

❖ Como el año tiene 12 meses, entonces el mes de marzo representa _____
_____ del año.

❖ El día lunes representa _____ de la semana.

❖ 12 horas representan _____ de un día.

1. La siguiente gráfica muestra la proporción de alumnos de quinto grado que practica diferentes deportes en la escuela Mariano Matamoros.

En equipos, completen la siguiente tabla considerando que el grupo está integrado por 32 alumnos.

**12.5%
Beisbol**

**12.5%
Atletismo**

**50%
Futbol**

**25%
Natación**

	Número de alumnos que...	Representación en fracción
Juegan futbol		
Practican natación		
Juegan beisbol		
Practican atletismo		

❖ Si juntamos a los que juegan futbol con los que juegan beisbol, ¿qué fracción del total serían? _____

❖ Si juntamos a los que practican natación con los que practican atletismo, ¿qué fracción del total serían? _____

Dato interesante

México es un país en donde el futbol es muy popular. En el año 2009, 57% de los encuestados se consideraban seguidores del futbol. En el 2010, los aficionados llegaron a 61%.

2. En cada una de las siguientes figuras, indiquen la fracción que corresponde a cada parte verde.

3. Resuelve el siguiente problema junto con un compañero.

En una alberca hay tres nadadores. El primero ha recorrido $\frac{1}{5}$ de la longitud total de la alberca, el segundo, $\frac{3}{9}$ partes y el tercero, $\frac{4}{10}$ partes.

Representa el recorrido de los nadadores en tu cuaderno.

❖ ¿Cuál de los tres nadadores ha recorrido la mayor longitud en la alberca? _____

❖ ¿Cuál ha recorrido menos? _____

❖ Argumenten sus respuestas. _____
_____
_____

❖ ¿Cómo saben cuando una fracción es mayor o menor que otra? _____
_____
_____

❖ Comparen sus respuestas con las de los otros equipos.

Consulta en...

http://www.isftic.mepsyd.es/w3/recursos/primaria/
matematicas/fracciones/menuu4.html
Entra a la sección "¿Cuál es mayor?" y ahí podrás hacer
ejercicios para practicar lo visto en esta lección.

3

Cuento para saber las opciones

Lo que conozco. Con las letras de la palabra ramo, ¿cuántas palabras diferentes puedes formar? Anótalas _____

_____

1. En equipo, resuelvan este ejercicio.

La señora Laura tiene un negocio que ofrece banquetes para diversas actividades sociales. Para brindar un mejor servicio desea saber cuántas opciones de menú puede ofrecer. Cuenta con los siguientes platillos:

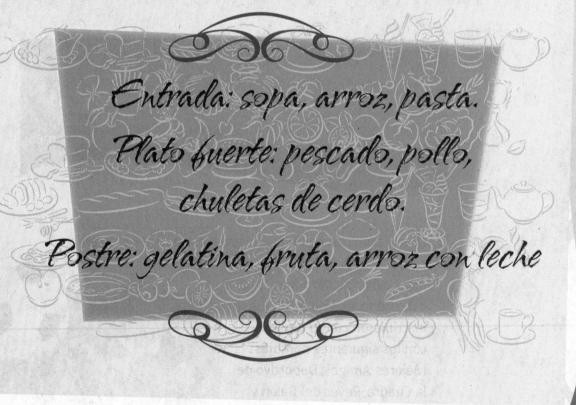

Entrada: sopa, arroz, pasta.

Plato fuerte: pescado, pollo, chuletas de cerdo.

Postre: gelatina, fruta, arroz con leche

Para establecer las diversas opciones de menú, la señora Laura elaboró la siguiente tabla, que aún está incompleta. Determinen todas las posibles combinaciones que incluyan una entrada, un plato fuerte y un postre. Completen la tabla en su cuaderno. Cuando terminen, elijan un representante del equipo para que escriba la propuesta en el pizarrón.

Número de menú	Entrada	Plato fuerte	Postre
1	sopa	pescado	gelatina
2	sopa		fruta
3	sopa		arroz con leche
4	sopa	pollo	

* ¿Cómo puedes calcular el número de comidas sin emplear la tabla?

_____

Dato interesante

Una dieta correcta incluye por lo menos un alimento de cada grupo nutricional. Para una alimentación equilibrada, varía y combina alimentos de los tres grupos del Plato del bien comer.

2. Organizados en equipos, resuelvan el siguiente problema.

En el barrio se llevará a cabo un torneo de futbol. Se inscribieron cuatro equipos con los siguientes nombres: Mejores Amigos, Deportivo de la Cuadra, Reyes del Balón y Rompe Redes.

Si cada equipo debe jugar un partido con cada uno de los otros equipos de ida y otro de vuelta, es decir, uno en su cancha y otro en la del equipo contrario, ¿cuántos partidos tienen que celebrarse? _____

Cuando hayan resuelto el problema, cada equipo explicará al grupo cuál fue el proceso que siguió, y entre todos decidirán cuál es el procedimiento más adecuado.

En problemas donde se requiere determinar el número de posibles resultados, es conveniente utilizar una representación, como un dibujo o una tabla que permita observar todas las posibilidades.

RETO

Organizados en parejas, resuelvan la actividad en su cuaderno.

¿Cuántos números de tres cifras se pueden formar con los dígitos 3, 4, 5, 6 y 7, sin que se repitan los números?

_____

¿Cuántos números formarás si puedes repetir los dígitos?

_____

Estimación, cálculo mental

Números naturales
Resuelve operaciones utilizando el cálculo
mental para estimar resultados.

4
Ejercito
mi mente

Lo que conozco. Calcula mentalmente las siguientes
operaciones y registra el resultado que obtengas.

$$3\,000 + 5\,000 =$$ _____

$$25\,000 + 7\,000 =$$ _____

$$207\,000 - 3\,000 =$$ _____

$$3\,600 - 150 =$$ _____

$$2\,500 \times 8 =$$ _____

$$300\,014 \times 2 =$$ _____

$$40\,000 \div 8 =$$ _____

$$37\,500 \div 2 =$$ _____

1. Organizados en parejas, resuelvan los siguientes ejercicios.

Sin realizar operaciones por escrito calculen mentalmente cuánto le falta
a cada uno de los siguientes números para completar otra centena. Por
ejemplo, cuánto le falta a 548 para completar 600.

548   _____52_____

345   _____

3 490   _____

1 017   _____

1 508   _____

2. Efectúa los cálculos mentales necesarios para resolver los siguientes ejercicios. Anota en tu cuaderno las respuestas y luego verifícalas para que aprecies tus avances.

La semana próxima se llevará a cabo un concierto de rock en el estadio Azteca de la Ciudad de México. Éste tiene una capacidad para 114 464 espectadores y, hasta este momento, se han vendido 112 000 boletos; el costo por boleto es de $20.00.

❖ ¿Cuánto dinero ha recaudado la taquilla hasta este instante? _____

❖ ¿Cuántos boletos faltan por vender? _____

❖ ¿Cuánto dinero se recaudará si se venden todos los boletos? _____

Al concluir, explica al grupo cómo resolviste cada pregunta.

3. Cada una de las operaciones de la columna A puede resolverse con uno de los cálculos de la columna B. Relaciona ambas columnas, colocando la letra en el paréntesis según corresponda.

Columna A	
( )	$1001 - 10 =$
( )	$2042 - 100 =$
( )	$317 + 49 =$
( )	$280 ÷ 14 =$
( )	$201 × 4 =$
( )	$35 × 4 =$

	Columna B
a	$(28 ÷ 14) × 10 = 2 × 10 = 20$
b	$(200 + 1) × 4 = 800 + 4 = 804$
c	$(30 + 5) × 4 = 120 + 20 = 140$
d	$1000 - 9 = 991$
e	$42 + (2000 - 100) = 42 + 1900 = 1942$
f	$316 + 50 = 366$

Dato interesante

Carl Friedrich Gauss fue un excelente calculista mental y genio matemático. Se cuenta que cuando su profesor de primaria le mandó sumar los 100 primeros números (1+2+3+4+...+100) de manera casi inmediata el pequeño Gauss obtuvo la respuesta.

En lugar de efectuar la suma en el orden descrito, sumó cada vez los extremos del 1 al 100 y se dio cuenta de que sumaban 101.

$$100 + 1 = 101$$
$$99 + 2 = 101$$
$$98 + 3 = 101$$

Analizó también que este valor se repetía 50 veces y por lo tanto el resultado final se podía calcular de la siguiente forma:

$$101 × 50 = 5 050$$

5

¿Soy un **triángulo** o un **cuadrilátero?**

Lo que conozco. Reproduce en tu cuaderno el cuadrado.

1. Realiza en tu cuaderno las instrucciones siguientes.

a) Traza en una hoja una línea recta horizontal.

b) Abre tu compás con la medida 3.5 cm y delimita sobre la recta trazada un segmento de 3.5 cm; señala los puntos delimitantes del segmento con las letras A y B.

c) Con la escuadra traza dos líneas perpendiculares desde los puntos A y B.

d) Con la misma abertura del compás, sitúa su punta en A y traza un arco que corte la línea perpendicular a A. Identifica el punto de intersección con la letra C.

e) Se repite el trazo anterior apoyándose en B y se obtiene el punto D.

f) Une los puntos C y D con tu regla para concluir tu figura.

g) Traza dos segmentos que unan los vértices opuestos del cuadrado. ¿En qué lugar se cruzaron? _____

h) ¿Cómo son los triángulos que formaste? _____

2. Reúnanse en equipos de tres y cada integrante escoja una de las figuras geométricas que se muestran a continuación. Reprodúzcanla en su cuaderno con su juego de geometría. Las figuras trazadas deben tener el doble de las longitudes de los modelos.

❖ Describe a continuación los pasos que seguiste para trazar la figura seleccionada. _____

_____

_____

Comparte con los demás miembros del equipo tu procedimiento y escucha cómo lo hicieron.

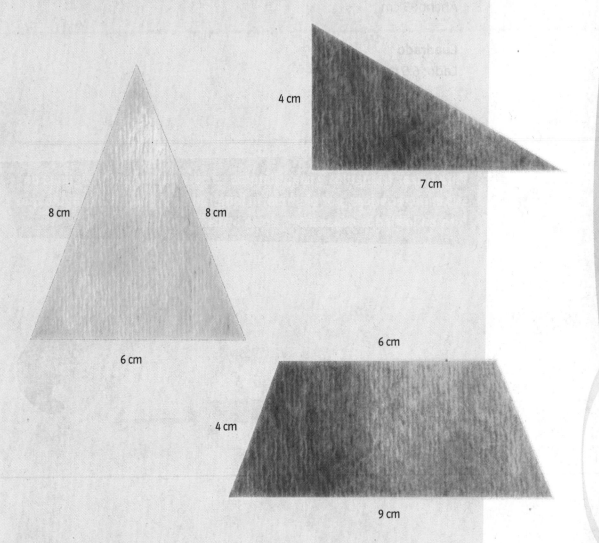

3. Traza en tu cuaderno las figuras con las medidas que se indican. Si necesitas más información para obtener las figuras, agrégala. Con tus compañeros, compara las figuras y observa cuáles fueron iguales y cuáles diferentes, y argumenta tu respuesta.

Triángulo escaleno
Lado *a*: 5 cm
Lado *b*: 6.5 cm

Rectángulo
Largo: 7 cm
Ancho: 5 cm

Cuadrado
Lado: 6.5 cm

Trapecio isósceles
Base mayor: 7.5 cm
Base menor: 5 cm

Triángulo equilátero
Lado: 6 cm

Para trazar triángulos y cuadriláteros es necesario conocer algunas de sus características, por ejemplo, la longitud de sus lados, el ángulo que forman los lados adyacentes, entre otras.

6

Con regla y compás

Lo que conozco. Reproduce en tu cuaderno el triángulo siguiente, pero considerando que sus lados miden la mitad de los mostrados en esta figura.

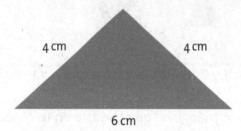

4 cm 4 cm

6 cm

1. Organizados en equipos lleven a cabo la actividad. Con base en la medida de los segmentos de recta que aparecen abajo, tracen en su cuaderno, con un compás y una regla, tres triángulos; el primero con tres lados iguales (equilátero); el segundo con dos lados iguales (isósceles) y el tercero con tres lados diferentes (escaleno).

3 cm

5 cm

7 cm

❖ Describan el procedimiento que siguieron para trazar cada uno de los triángulos. _____
_____
_____
_____

2. Traza y recorta los triángulos con las características siguientes:

Un triángulo equilátero de 2 cm de lado.

Un triángulo escaleno cuya base mida 2 cm.

Colócalos uno por uno encima de los modelos siguientes:

❖ Los triángulos 1 y 2 ¿tienen la misma forma y tamaño?

_____

❖ ¿Cuál de los dos triángulos que trazaste en tu cuaderno tiene la misma forma y tamaño que los mostrados en la ilustración anterior?

_____

❖ ¿Se modifica la forma o el tamaño del triángulo al estar en otra posición? _____

Los **triángulos congruentes** son los que tienen la misma forma y tamaño, sin importar su posición.

Consulta en...

En la siguiente página selecciona el enlace titulado "Tortuga y la geometría".
http://nlvm.usu.edu/es/nav/topic_t_3.html
En el programa deberás incluir las instrucciones para que se trace la figura mostrada.

Figuras.

Figuras planas
Compone y descompone figuras.
Analiza el área y perímetro de una figura.

Figuras, **áreas** y **perímetros**

Lo que conozco. En tu cuaderno o en una hoja cuadriculada traza todas las figuras que se pueden formar con 5 cuadrados. Puedes unir los cuadrados por sus lados pero no por sus vértices, como se muestra en la figura. Después colorea cada figura y remarca con otro color su perímetro.

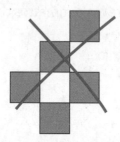
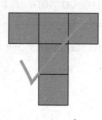

1. Realiza la actividad en parejas.

En una hoja de papel o cartulina tracen y recorten las siguientes figuras:

Dos rectángulos de 12 cm de base y 8 cm de altura.
Dos cuadrados, cuyos lados midan 8 cm.

Construyan una figura con el cuadrado y el rectángulo, y después midan su perímetro.

❖ ¿Es el perímetro de la nueva figura igual a la suma de los perímetros del cuadrado y del rectángulo? _____

❖ ¿Es el área de la nueva figura igual a la suma de las áreas del cuadrado y del rectángulo? _____

Dividan y recorten los dos cuadrados por una de sus líneas diagonales.

❖ ¿Qué figuras obtuvieron? _____

Combinen cada rectángulo con dos triángulos para obtener dos figuras distintas. Midan el perímetro de cada figura, compárenlos y dibújenlos en su cuaderno.

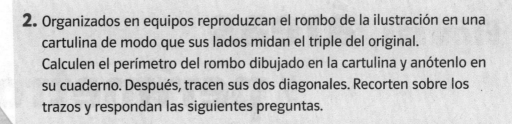

2. Organizados en equipos reproduzcan el rombo de la ilustración en una cartulina de modo que sus lados midan el triple del original.

Calculen el perímetro del rombo dibujado en la cartulina y anótenlo en su cuaderno. Después, tracen sus dos diagonales. Recorten sobre los trazos y respondan las siguientes preguntas.

❖ Al recortar el rombo sobre una de sus diagonales, ¿qué figuras obtuviste? _____

❖ Después de recortar el rombo sobre las dos diagonales, ¿qué figuras obtuviste? _____

❖ Con las cuatro figuras obtenidas formen un rectángulo y midan su perímetro. Comenten qué relación hay entre los perímetros del rombo y del rectángulo.

❖ Compara las áreas del rombo y del rectángulo.

Recortable

Página 191

3. Recorta los triángulos de la Sección recortable y forma las figuras que se te piden.

Utiliza los triángulos que te permitan formar un rectángulo.
Mide su perímetro y calcula su área.
Forma una figura que tenga un perímetro mayor que el del rectángulo.
¿Cuánto mide su perímetro y cuánto, su área?

_____

Ahora, forma un triángulo con un perímetro mayor al del rectángulo.
¿Cuánto miden su perímetro y su área? _____

El perímetro de una figura geométrica puede cambiar cuando ésta se descompone para formar otras, mientras que su área no lo hace.

8

Elaboro
planos

Lo que conozco. Escribe en la línea lo que representa cada figura.

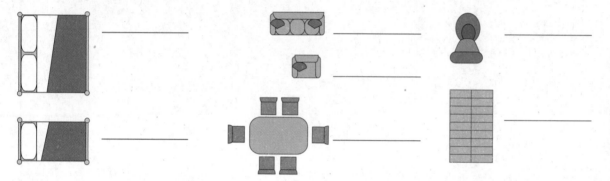

_____

_____

_____

_____

_____

_____

1. En equipos, observen el siguiente plano y después contesten las preguntas.

❖ ¿Cómo pueden distinguir en el plano entre una pared completa y una que tiene ventana? _____

❖ ¿Cómo se representa en el plano el lugar donde va una puerta?

_____

❖ ¿Cuántas puertas y cuántas ventanas están representadas en el plano?

_____

❖ ¿Qué diferencia existe entre la representación de la puerta de la cocina y la de las demás? _____

❖ Entre la sala y el comedor, ¿cómo sabemos que no hay una pared que los separe? _____

_____

_____

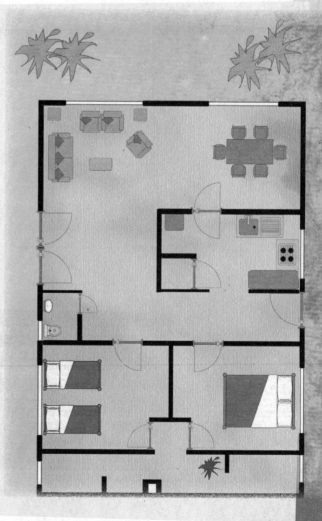

2. En parejas, utilicen los símbolos del plano de la actividad anterior y, en el siguiente espacio, diseñen el plano de su salón de clases. Un metro de longitud de su salón medirá en el plano 3 centímetros.

Si necesitan más espacio, utilicen su cuaderno.

Un **plano** es una representación de dos dimensiones (largo y ancho) y a determinada escala de edificios, casas y terrenos, entre otros. Los objetos en el plano se representan con un código establecido y se aprecian como si el objeto fuera observado desde arriba.

Medida

Conceptualización
Identifica las medidas necesarias para calcular
el perímetro o el área de una figura.

Perímetro y **área** del salón **de clases**

Lo que conozco. Reúnete con un compañero y realicen la siguiente actividad.

La maestra pidió a los alumnos que llevaran entre todos suficientes cuadrados de 10 cm × 10 cm para cubrir completamente el pizarrón de su salón.

❖ ¿Cómo puede calcularse cuántos cuadrados tienen que llevar para realizar esta actividad? _____

Además, les pidió cinta adhesiva para pegarla sobre el marco del pizarrón y protegerlo. El metro de cinta cuesta $2.00.

❖ ¿Cómo puede calcularse cuánto dinero se gastará en la protección del marco del pizarrón? _____
_____

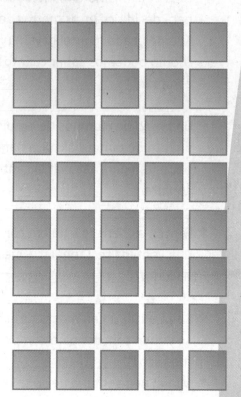

1. Resuelve el problema siguiente.

Juan y Daniel rompieron accidentalmente uno de los vidrios de la ventana del salón. Ahora deben comprar uno nuevo. La ventana tiene la forma que se muestra a continuación, y el metro cuadrado (m²) de vidrio cuesta $110.00.

❖ ¿Qué medidas deben conocer para comprar el vidrio? _____
_____

❖ ¿Qué forma geométrica tiene la ventana? _____
_____

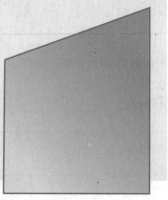

2. Organizados en parejas respondan lo que se les pide y justifiquen sus respuestas.

❖ Se desea elaborar unos manteles cuadrados para 6 mesas, todos del mismo tamaño. ¿Qué otros datos debemos conocer para decidir cuántos metros de tela comprar? _____ Además, cada mantel llevará un bies en las cuatro orillas. ¿Cómo podemos saber cuántos metros de bies requerimos comprar? _____ _____

❖ Un grupo de alumnos desea pintar su salón de clases. Si un litro de pintura alcanza para cubrir 5 m², ¿qué medidas necesitan para calcular la cantidad de pintura que deberán comprar? _____ _____

❖ Fermín es herrero y quiere construir el marco de aluminio para una ventana rectangular. ¿Qué medidas debe conocer para hacerlo? _____ _____

❖ Se va a cubrir con mosaicos el suelo de un salón. ¿Qué medidas se deben conocer para comprar la cantidad necesaria de mosaico? _____

❖ Midan una ventana de su salón para saber cuánta tela tendrían que comprar si quisieran elaborar una cortina. Anoten las medidas en este espacio. _____

❖ ¿Cuántos ladrillos se necesitarán para construir un muro de 5 m de largo y 3 m de alto, si un ladrillo mide 8 cm de ancho por 25 cm de largo? (No tomen en cuenta el grosor de la mezcla.) _____ _____

Comenten sus respuestas con otra pareja.

3. Escribe cuáles son las dimensiones que debes saber para:

❖ Calcular el perímetro de un pentágono. _____ _____

❖ Calcular el área de un polígono regular. _____ _____

Medida

Estimación y cálculo
Obtiene una fórmula para calcular el perímetro de polígonos.

10

El **perímetro**
del **terreno**

Lo que conozco. En equipo, lleven a cabo la actividad.

La siguiente figura muestra la forma que tiene el terreno de la señora Rosa. Si lo quiere cercar con malla y cada rollo contiene 20 m, ¿cuántos rollos se emplearán para cercar dicho terreno? _____

_____

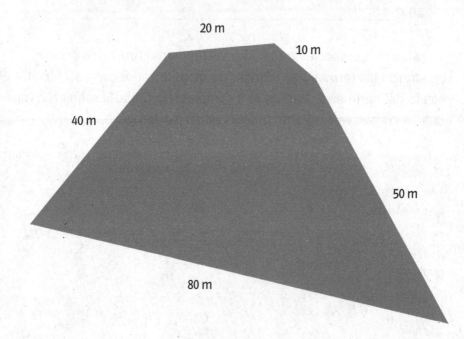

20 m

10 m

40 m

50 m

80 m

Escribe aquí la operación que realizaste para determinar el número de metros que se ocuparán para cercar el terreno.

1. En parejas, resuelvan el problema.

Los vecinos de la señora Rosa también quieren cercar sus terrenos. Éstos son representados por las siguientes figuras.

❖ ¿En cuál de los terrenos anteriores se utilizó la mayor cantidad de malla?_____

Para ahorrar tiempo, los trabajadores elaboraron una tabla donde registraron las formas geométricas de otros terrenos para así facilitar el cálculo del perímetro. Ayúdenles a completar la tabla. Si requieren más espacio, copien y completen la tabla en su cuaderno.

| Tipo de terreno | Nombre de la figura geométrica | Longitud de cada lado (metros) | | | Perímetro |
		8	10	15	
△	Triángulo equilátero	8 + 8 + 8 = 24 24 metros de malla			$\ell + \ell + \ell = 3\ell$
	Cuadrado				
⬠				15 + 15 + 15 + 15 + 15 = 75 75 metros de malla	
⬡					
	Octágono regular				

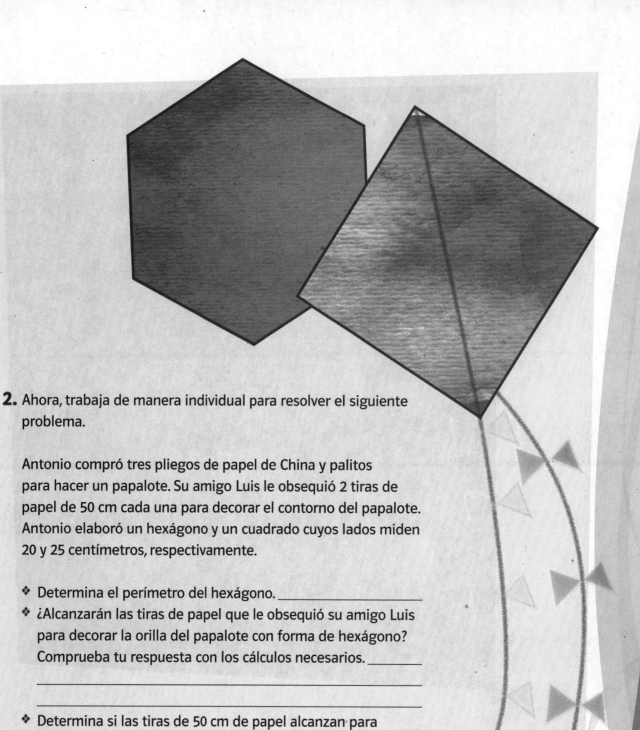

2. Ahora, trabaja de manera individual para resolver el siguiente problema.

Antonio compró tres pliegos de papel de China y palitos para hacer un papalote. Su amigo Luis le obsequió 2 tiras de papel de 50 cm cada una para decorar el contorno del papalote. Antonio elaboró un hexágono y un cuadrado cuyos lados miden 20 y 25 centímetros, respectivamente.

❖ Determina el perímetro del hexágono. _____
❖ ¿Alcanzarán las tiras de papel que le obsequió su amigo Luis para decorar la orilla del papalote con forma de hexágono? Comprueba tu respuesta con los cálculos necesarios. _____
  _____
  _____

❖ Determina si las tiras de 50 cm de papel alcanzan para pegarlas en el contorno del papalote con forma de cuadrado.
  _____
  _____

RETO

En parejas, realicen la actividad.

Calculen el perímetro de las siguientes figuras.

Escriban una fórmula para obtener el perímetro de cada figura:

Triángulo escaleno: _____

Trapecio isósceles: _____

Romboide: _____

Hexágono irregular: _____

Heptágono irregular: _____

Triángulo escaleno

Romboide

Trapecio isósceles

Hexágono irregular

Heptágono irregular

Un **polígono regular** es aquel cuyos lados tienen la misma longitud y todos sus ángulos tienen la misma medida. Para determinar el perímetro (p) de un polígono regular se debe multiplicar el número de lados (n) por la medida de uno de sus lados (l), es decir, $p = n \times l$. Cuando el polígono es **irregular**, es decir, sus lados no son iguales, se suma cada una de las medidas de sus lados para obtener su perímetro.

Representación de la información

Búsqueda y organización de la información
Elabora, lee e interpreta tablas de frecuencia.

11

Interpreto
tablas

Lo que conozco.

Defunciones por influenza AH1N1

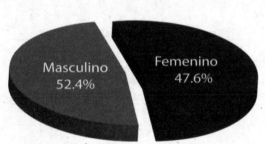

Grupo de edad (años)	Defunciones Totales	%
< 1	24	1.8
1 a 4	54	4.1
5 a 9	47	3.5
10 a 14	37	2.7
15 a 19	38	2.8
20 a 24	103	7.8
25 a 29	141	10.6
30 a 34	118	8.9
35 a 39	187	14.0
40 a 44	128	9.6
45 a 49	127	9.6
50 a 54	129	9.7
55 a 59	105	7.9
60 a 64	40	3.0
65 a 69	23	1.7
70 a 74	14	1.1
75 y más	14	1.1
Totales	1329	100

70.2% (20 a 24 hasta 50 a 54)

De acuerdo con la información de la tabla:

❖ ¿Cuál es el rango de edad en la que hay mayor riesgo de morir en caso de contraer la enfermedad de la influenza AH1N1? _____
_____

❖ ¿Cuáles son las edades en las que hay menor riesgo de morir en caso de contraer la enfermedad de influenza AH1N1? _____
_____

❖ Inventa otras preguntas que puedas responder con la información de la tabla. _____
_____
_____
_____
_____

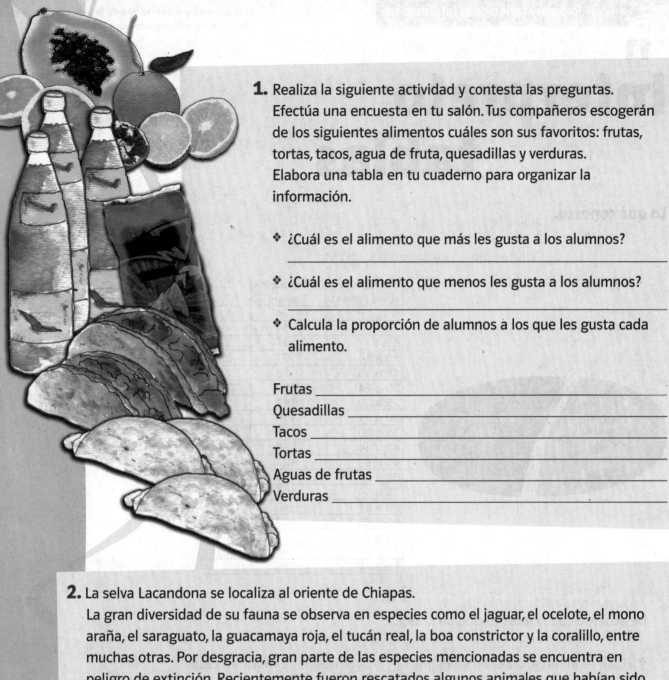

1. Realiza la siguiente actividad y contesta las preguntas.
Efectúa una encuesta en tu salón. Tus compañeros escogerán de los siguientes alimentos cuáles son sus favoritos: frutas, tortas, tacos, agua de fruta, quesadillas y verduras.
Elabora una tabla en tu cuaderno para organizar la información.

❖ ¿Cuál es el alimento que más les gusta a los alumnos?
_____

❖ ¿Cuál es el alimento que menos les gusta a los alumnos?
_____

❖ Calcula la proporción de alumnos a los que les gusta cada alimento.

Frutas _____
Quesadillas _____
Tacos _____
Tortas _____
Aguas de frutas _____
Verduras _____

2. La selva Lacandona se localiza al oriente de Chiapas.
La gran diversidad de su fauna se observa en especies como el jaguar, el ocelote, el mono araña, el saraguato, la guacamaya roja, el tucán real, la boa constrictor y la coralillo, entre muchas otras. Por desgracia, gran parte de las especies mencionadas se encuentra en peligro de extinción. Recientemente fueron rescatados algunos animales que habían sido capturados ilegalmente. Se trataba de 4 jaguares, 9 monos araña, 12 tucanes reales y 7 coralillos.
Elabora una tabla en tu cuaderno para organizar la información relacionada con el número de animales rescatados y contesta las siguientes preguntas.

❖ ¿Cuántos animales en total fueron rescatados? _____
❖ ¿De qué especie animal había más individuos? _____
❖ Expresa la fracción que representa cada especie de acuerdo con el total de animales rescatados. _____
❖ ¿Qué animales rescatados están representados con la fracción equivalente a $\frac{1}{8}$?
_____

12

¿Cómo organizar la información?

Lo que conozco.

2012	NACIMIENTOS TOTALES		
	Ambos sexos	**Varones**	**Mujeres**
Quintana Roo	28 093	14 388	13 705
Cozumel	1 757	900	857
Felipe Carrillo Puerto	1 366	699	667
Isla Mujeres	267	137	130
Othón P. Blanco	3 601	1 844	1 757
Benito Juárez	13 878	7 108	6 770
José María Morelos	679	348	331
Lázaro Cárdenas	469	240	229
Solidaridad	6 076	3 112	2 964

¿En cuántos municipios se pronostica que nacerán más mujeres que hombres? _____ ¿Cuáles son? _____

_____

1. En parejas, resuelvan el problema.

Una encuesta aplicada a 1 000 turistas para conocer el destino favorito de playas en México arrojó los resultados que se muestran en la tabla siguiente, en la que se organiza la información por sexo y destino de playa favorito.

	Cancún	Acapulco	Total
Masculino	192	304	496
Femenino	220	284	504
Total	412	588	1000

A esta organización de la información se la denomina también tabla rectangular o de doble entrada.

* ❖ ¿A qué playa prefieren ir las mujeres? _____
* ❖ ¿Se encuestó un número mayor de personas del sexo masculino o del femenino? _____
* ❖ ¿Qué cantidad de personas prefiere ir a Cancún? _____
* ❖ ¿Qué playa prefieren visitar los turistas? _____

2. Según los restauranteros, los turistas prefieren comer los siguientes platillos: pescado, 160 hombres y 230 mujeres; mariscos, 420 hombres y 390 mujeres.

Organiza tu información en una tabla.
Compárala con la de tus compañeros de clase.

* ❖ ¿Cuántas personas fueron encuestadas? _____
* ❖ ¿Cuántas de las personas encuestadas prefieren comer pescado?
_____

Elabora dos preguntas que puedas contestar con la información de la tabla que elaboraste. Haz las preguntas a un compañero.

Una tabla rectangular permite organizar la información que se tiene de un tema.

Integro lo aprendido

Ahora aplicarás los conocimientos construidos durante todo el bloque.
Resuelve los problemas siguientes.

El plano del aula escolar está incompleto. De largo debe medir 9 m
y de ancho, 6 m. A un lado de la puerta debe estar una ventana de 3 m
de largo y atrás del escritorio una de 4 m. Representa esta información
en el plano para completarlo.

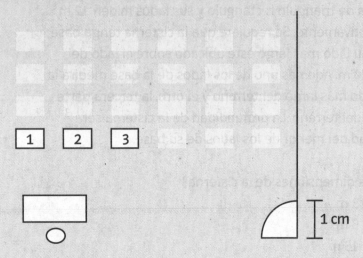

1 cm

a) ¿Qué fracción representa el ancho del aula con respecto al largo de la
misma? _____

b) Roberto, Paula y Alejandra siempre llegan temprano y ocupan los
lugares que se indican en el plano con los números 1, 2, 3. ¿De cuántas
formas diferentes pueden ocupar esos lugares? _____

c) El maestro le pidió a uno de sus alumnos que trace un rectángulo
dentro del salón, frente a los pupitres. Las medidas del rectángulo
son: 4 m de largo y 2 m de ancho. Dibújalo a escala en el plano
utilizando solamente regla y compás.

d) El maestro les pidió a sus alumnos que forraran la cubierta de
sus bancas con papel y plástico. Para comprar el material, ¿qué
información de su banca necesitan conocer? _____

Evaluación

A continuación resolverás problemas en los que aplicarás los conocimientos aprendidos durante el bloque.

Instrucciones. Encierra la letra que corresponda a la respuesta correcta o completa la información que se te solicita.

1. Se va a construir una cisterna para un edificio de departamentos. El terreno tiene forma de triángulo rectángulo y sus lados miden 12 m, 16 m y 20 m, respectivamente. Se requiere que la cisterna tenga base rectangular y que su lado más largo esté ubicado sobre el lado del terreno que mide 20 m. Además uno de los lados de la base medirá la cuarta parte del lado más largo del terreno y el otro, la tercera parte del lado más corto del terreno. La profundidad de la cisterna será $\frac{3}{4}$ partes de la longitud del menor de los lados de su base.

   ❖ ¿Cuáles son las dimensiones de la cisterna?
   - **a)** 5 m x 3 m x 3 m
   - **b)** 5 m x 4 m x 3 m
   - **c)** 4 m x 3 m x 15 m
   - **d)** 4 m x 4 m x 3 m

   ❖ Traza un croquis del terreno y ubica la cisterna.

❖ Calcula el perímetro del terreno sin el espacio ocupado por la cisterna.

a) 42 m

b) 43 m

c) 44 m

d) 45 m

❖ Calcula el área del terreno sin tomar en cuenta el área de la base de la cisterna.

a) 20 m²

b) 76 m²

c) 96 m²

d) 100 m²

2. Se realizó un estudio entre 10 personas para comparar su peso y estatura de acuerdo con su edad y sexo. Los datos obtenidos se reportan en la siguiente tabla.

Persona	Sexo	Edad (años)	Estatura (m)	Peso (kg)
1	F	50	1.57	57.0
2	F	48	1.60	65.4
3	M	47	1.75	78.2
4	F	50	1.56	60.3
5	M	49	1.75	80.4
6	M	49	1.80	87.6
7	F	50	1.50	50.0
8	F	47	1.52	56.3
9	F	51	1.60	54.3
10	M	48	1.80	85.8

❖ Completa las tablas en las que se resumen los datos en número de personas por sexo, edad, estatura y peso.

Edad en años

	45 a 50	51 a 55	Total
Masculino			
Femenino			
Total			

Estatura en metros

	1.50-1.65	1.66-1.80	Total
Masculino			
Femenino			
Total			

Peso en kilogramos

	50-70	71-90	Total
Masculino			
Femenino			
Total			

Autoevaluación

En las casillas correspondientes, marca con una paloma ✔ lo que mejor refleje lo que piensas.

Contenidos procedimentales	Siempre lo hago	Lo hago a veces	Difícilmente lo hago
Resuelvo problemas que implican reparto y medida usando fracciones.			
Trazo triángulos y cuadriláteros con regla y compás.			
Calculo perímetros y áreas de triángulos y cuadriláteros.			
Dibujo el plano de mi casa o de algún edificio conocido.			
Puedo leer e interpretar tablas.			

Contenidos actitudinales	Siempre lo hago	Lo hago a veces	Difícilmente lo hago
Cuando trabajo en equipo, aprendo de mis compañeros.			
Cuando trabajo en equipo, efectúo mejor las cosas que si las llevo a cabo individualmente.			
Respeto las opiniones de mis compañeros.			

Bloque II

Aprendizajes esperados

- Resuelve problemas que implican el uso de múltiplos de números naturales.
- Resuelve problemas que implican establecer las relaciones entre dividendo, divisor, cociente y residuo.
- Representa, construye y analiza cuerpos geométricos.
- Resuelve problemas que implican leer e interpretar mapas.
- Resuelve problemas que implican conversiones entre múltiplos y submúltiplos de metro, litro y kilogramo.
- Resuelve problemas que implican la identificación, en casos sencillos, de un factor constante de proporcionalidad.
- Utiliza intervalos para organizar información sobre magnitudes continuas.

13 Graduados especiales en las rectas

Lo que conozco. Elabora una recta numérica donde la longitud entre cada marca mida 3 cm. La primera marca corresponderá al cero y a partir de ella señala hacia la derecha el 1, 2, 3, 4 y 5.

1. En parejas, ubiquen en la recta numérica las fracciones:

$$\frac{3}{2}, \frac{8}{3}, \frac{20}{5}, \frac{18}{8} \text{ y } \frac{21}{6}$$

2. De manera individual, resuelve los siguientes problemas.

❖ La maestra Diana trazó en el pizarrón la siguiente recta numérica y después pidió a sus alumnos que completaran la tabla que se muestra a continuación.

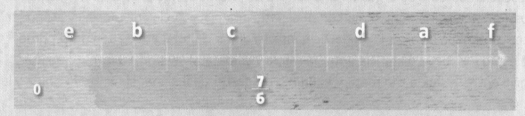

Ayuda a los alumnos a completar la tabla usando la información de la recta.

Letra	a	b	c	d	e	f
Fracción				$\frac{10}{6}$		

❖ Con base en el ejercicio anterior, contesta las preguntas.

¿Qué fracción representa cada segmento de la recta? _____

_____

¿Por qué $\frac{8}{4}$ también podría estar representado por la letra *a*? _____

_____

¿Cuántos cuartos están representados en el punto con la letra *b*? _____

RETO

En el siguiente segmento de recta ubica las fracciones: $\frac{13}{10}$, $\frac{1}{2}$ y $\frac{7}{5}$ m

$\frac{1}{5}$

¿Se puede ubicar $\frac{15}{3}$ en la recta? _____ ¿Por qué? _____

_____

_____

Una fracción puede ubicarse en la recta numérica si se conoce:

- • la ubicación del cero y la unidad, o
- • la ubicación del cero y la de una fracción cualquiera, o
- • la ubicación de cualquier pareja de números.

3. En equipos, realicen la actividad siguiente.

En la escuela de Pedro se organizó una carrera de relevos donde participaron equipos de 4 niños. Para realizarla debían marcar en el patio una pista con las distancias y así poder conocer cuánto iba a correr cada participante. La distancia total era de 160 m. El primer relevo estaba a $\frac{1}{4}$ de la distancia entre la salida y la meta, el segundo relevo a $\frac{1}{2}$ de la distancia entre la salida y la meta, y el último a $\frac{6}{8}$ partes de la distancia entre la salida y la meta.

❖ Tracen en su cuaderno una recta de 16 cm que represente la pista de carreras; ubiquen la salida en uno de los extremos de la recta y coloquen el 0, y en el otro extremo de la recta la meta y el 160.

❖ Dividan la recta en segmentos que les permitan representar los puntos de relevos representados por las fracciones correspondientes.

¿Cuántos centímetros hay entre cada punto de relevo? _____

Consulta en...

http://www.isftic.mepsyd.es/w3/recursos/primaria/matematicas/
fracciones/menuu4.html

Entra a la sección "Busca la fracción", y allí podrás practicar lo visto en esta lección.

Números decimales
Utiliza fracciones decimales para expresar medidas; identifica equivalencias entre fracciones decimales y utiliza escritura con punto decimal en ejemplos de dinero y medición.

14
Fracciones de diez en diez

Lo que conozco. Formen equipos y dibujen una recta numérica en su cuaderno para contestar las siguientes preguntas.

❖ ¿Cuántos centésimos hay en $\frac{10}{10}$? _____

❖ ¿Cuántos milésimos hay en $\frac{10}{100}$? _____

❖ ¿Cuántos centésimos equivalen a $\frac{1}{10}$? _____

❖ ¿Cuántos décimos hay en una unidad? _____

❖ ¿Cuántos centésimos y cuántos milésimos caben en 2 unidades más $\frac{2}{10}$? _____

1. En parejas, observen la siguiente recta y ubiquen las fracciones decimales. Pueden utilizar su regla.

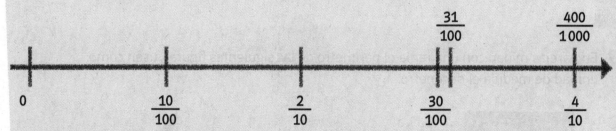

$$\frac{3}{10} \qquad \frac{20}{100} \qquad \frac{5}{100} \qquad \frac{20}{100}$$

$$\frac{29}{100} \qquad \frac{15}{100} \qquad \frac{1}{10} \qquad \frac{150}{1\,000}$$

$$\frac{31}{100} \qquad\qquad \frac{400}{1\,000}$$

$$0 \qquad \frac{10}{100} \qquad \frac{2}{10} \qquad \frac{30}{100} \qquad \frac{4}{10}$$

¿Cuáles fueron las fracciones que se ubicaron en el mismo punto?

❖ Expliquen por qué sucede esto. _____
_____
_____

2. Completa la siguiente tabla. Observa que los décimos, centésimos y milésimos están expresados tanto en fracción decimal como en notación decimal.

Notación Decimal	Unidades	Décimos	Centésimos	Milésimos	Fracciones decimales
2.345	2	$\frac{3}{10}$ 1.3	$\frac{4}{100}$ _____	$\frac{5}{1000}$ 0.005	$\frac{3}{10} + \frac{4}{100} + \frac{5}{1000}$
	3	$\frac{2}{10}$ _____	_____ 0.09	$\frac{6}{1000}$ 0.006	
1.762					
0.043					

Contesta las preguntas.

❖ ¿Cómo se escribe en fracción decimal 0.09? _____

❖ ¿Cómo se escribe 0.347 en fracción decimal? _____

❖ Si comparamos $\frac{2}{10} + \frac{5}{100}$ y 0.3, ¿cuál es mayor? _____

❖ ¿Cómo lo sabes? _____

3. En parejas midan con una regla el perímetro de las siguientes figuras, usen como unidad de medida el decímetro.

Cuadrado

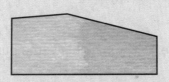

Polígono irregular

Triángulo escaleno

❖ ¿Cuál es la figura de mayor perímetro? _____

❖ Expresa el perímetro del triángulo en fracciones decimales. _____

Las **fracciones decimales** son aquellas que tienen como denominador 10, o cualquiera de sus potencias (100, 1 000, 10 000, etcétera).

Fracción decimal	Nombre	Notación decimal
$\frac{1}{10}$	Décimos	0.1
$\frac{1}{100}$	Centésimos	0.01
$\frac{1}{1\,000}$	Milésimos	0.001

4. De manera individual resuelve los problemas.

❖ Diana tiene un listón que mide 17 centímetros de longitud y Mario uno de 1.70 decímetros. ¿Quién tiene el listón más corto? _____
_____

❖ Las estaturas de tres amigos son: Alberto, 1.87 metros; Gonzalo, 190 centímetros, y María, 18.5 decímetros. Si se ordenan por estaturas, ¿cuál de ellos quedará en medio de los otros? _____
_____

❖ Al concluir, en grupo comparen sus respuestas y los procesos que siguieron.

Consulta en...

http://www.isftic.mepsyd.es/w3/recursos/primaria/
matematicas/decimales/menuu4.html

Entra a la sección "La calculadora" para practicar lo visto en esta lección.

15
Sucesiones
numéricas

Lo que conozco. Completa la tabla.

Núm.	Multiplica por				
	5	6	7	8	9
11	55				
12					
13					

Si divides 96 entre 12, ¿cuál es el resultado? _____

Si divides 96 entre 8, ¿cuánto da? _____

¿Por qué en las divisiones anteriores se obtuvo un número entero? _____
_____

1. En equipo, analicen las siguientes sucesiones y dibujen las figuras que faltan. Después, contesten las preguntas.

Figura 1   Figura 2   Figura 3   Figura 4   Figura 5   Figura 6

❖ ¿Cuántos puntos debe haber en la figura 7? _____

❖ ¿Cuántos puntos debe haber en la figura 21? _____

❖ ¿Cuántos puntos debe haber en la figura 100? _____

❖ ¿Cómo determinaron la respuesta de la pregunta anterior? _____
_____
_____

❖ Una figura tiene 35 puntos, ¿pertenece a esta sucesión? _____
¿Por qué? _____
_____

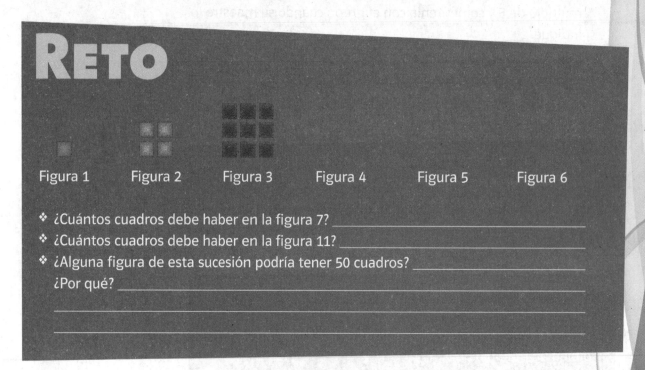

Figura 1   Figura 2   Figura 3   Figura 4   Figura 5

❖ ¿Cuántos triángulos debe haber en la figura 7? _____

❖ ¿Alguna figura de esta sucesión podrá tener 61 triángulos? _____

❖ ¿Por qué? _____

_____

RETO

Figura 1   Figura 2   Figura 3   Figura 4   Figura 5   Figura 6

❖ ¿Cuántos cuadros debe haber en la figura 7? _____

❖ ¿Cuántos cuadros debe haber en la figura 11? _____

❖ ¿Alguna figura de esta sucesión podría tener 50 cuadros? _____

¿Por qué? _____

_____

_____

2. Forma un equipo para realizar la siguiente actividad.

Una fábrica que produce patines se encuentra bajo inspección de calidad. Los inspectores encargados comenzaron por el quinto par y continuaron la revisión cada cinco pares. Cada par tiene el número grabado en la caja donde se empaca y la numeración es progresiva.

❖ Escriban los números de los patines que serán revisados hasta el par 35. _____

❖ ¿Cuántos pares habrán revisado cuando lleguen al par número 100? _____

❖ Al revisar otro lote lo iniciaron a partir del décimo par y esta vez revisaron cada diez pares. Escriban los números de los patines que serán revisados hasta el par número 145. _____ ¿Por qué el par número 37 no fue revisado? _____ _____

❖ Escriban una regla que permita determinar si un número es o no múltiplo de 5 y coméntenla con el grupo cuando su maestro lo indique. _____ _____ _____

Un **múltiplo** de **x** (un número entero) es el resultado de multiplicar dicho número **x** por cualquier otro número entero.
Por ejemplo, un múltiplo de 5 es 35 porque al dividirlo se obtiene el entero 7.

Dato interesante

La suma de los dígitos de los múltiplos de 9 es igual a nueve o bien un múltiplo de 9.

3. Resuelve el problema siguiente.

En un grupo hay 23 niños y 25 niñas sentados de manera intercalada para realizar la siguiente actividad. Contarán de uno en uno, en voz alta. Los alumnos a quienes les corresponda decir el 6 o alguno de sus múltiplos se levantarán y permanecerán de pie hasta terminar de contar. Si fue una niña la que comenzó el conteo, ¿cuántos niños y cuántas niñas permanecen de pie al concluir el conteo? _____

4. En parejas, analicen cada una de las siguientes situaciones y resuélvanlas.

❖ ¿Cuál de los siguientes cuadros contiene sólo múltiplos de 9?

a

9	18	45
81	54	72
36	63	99

b

9	27	45
49	39	19
54	81	100

❖ ¿Cuál de las siguientes rectas tiene ubicados sólo múltiplos de 8? _____

❖ ¿Cómo supieron cuál era la recta correcta? _____
_____

❖ ¿Cuáles son los números que completan cada una de las rectas siguientes? _____
_____

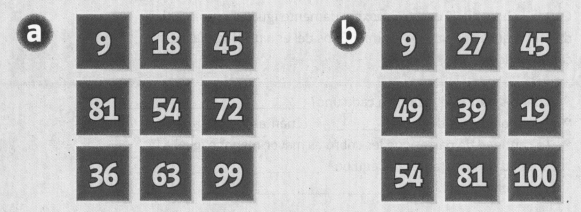

a

0   16   24   40   64

b

0   36   108

Significado y uso de las operaciones

Multiplicación y división
Encuentra relaciones entre las partes de la división
y las utiliza para resolver problemas.

16

Relación entre dividendo, divisor y cociente

Lo que conozco. Los lunes le dan a Rosa $34.00 para gastar durante la semana. Si de lunes a viernes gasta lo mismo y el sábado le quedan 4 pesos, ¿cuánto gastó por día? _____

1. Forma un equipo con dos compañeros y realicen la actividad en una hoja de reúso.

Corten la hoja en 25 partes aproximadamente iguales y repártanlas de forma que cada uno de los miembros del equipo tenga la misma cantidad de partes.

❖ ¿Cuántas partes le tocaron a cada uno? _____

❖ ¿Sobraron partes de papel? _____ ¿Cuántas? _____

❖ ¿La cantidad de partes que les sobró es mayor, menor o igual a la cantidad de integrantes del equipo? _____
Expliquen por qué. _____
_____

Junten de nuevo las 25 partes y repártanlas en 7 montones iguales.

❖ ¿Cuántas partes sobraron? _____

❖ ¿La cantidad de partes que sobraron es mayor, menor o igual a la cantidad de montones? _____

❖ ¿Cómo pueden saber de qué manera repartir las 25 partes en montones iguales y que no sobre ninguno? Expliquen su respuesta.
_____
_____

❖ ¿De cuántas formas pudieron repartirlas? _____

2. En parejas, resuelvan el problema siguiente.

❖ En una fábrica donde se elaboran chocolates de manera artesanal empaquetan la producción del día en bolsas con 8 chocolates cada una. Si el día de hoy se formaron 15 bolsas y faltaron 3 chocolates para completar otra bolsa, ¿cuál fue la producción total de chocolates?

_____

❖ Al día siguiente quedaron 3 chocolates sin empaquetar. Si la producción diaria es de más de 100 chocolates y nunca rebasa las 20 bolsas, ¿cuántos chocolates se produjeron este día? Den al menos dos respuestas diferentes. _____

_____

❖ Expliquen cómo resolvieron el problema. _____

_____

RETO

Completa la siguiente tabla. Al finalizar la actividad compara tus resultados con los de tus compañeros.

Dividendo (D) Partes en que fue dividida la hoja	Divisor (d) Partes en que fueron repartidos los pedazos de papel	Cociente (c) Cantidad de pedazos de papel repartidos a cada persona o montón	Residuo (r) Pedazos de papel que quedaron sin repartir
25	2	12	1
25	7		
	7	13	3
	9	10	6
58		3	7

❖ Explica cómo obtuvieron la información de la columna del dividendo. _____

_____

❖ Explica cómo obtuviste el divisor. _____

_____

Para encontrar el dividendo en una división, sólo basta multiplicar el cociente por el divisor y sumar el residuo.

3. Resuelve los siguientes problemas.

❖ Los maestros y alumnos de la escuela Ricardo Flores Magón efectuaron una excursión al Museo de Antropología. Para ello se contrataron 8 autobuses con capacidad para 42 pasajeros. En uno de los autobuses quedaron vacíos 17 asientos. ¿Cuántas personas en total fueron a visitar el museo? _____

❖ Héctor siempre les da domingo a sus 7 sobrinos; divide su dinero de manera que les toque la misma cantidad de dinero a todos. Ese día le dio a cada uno $24.00 y le sobraron $3.00, ¿cuánto dinero tenía Héctor en total? _____

❖ Un domingo, Héctor llegó a visitar a sus sobrinos y como ese día también estaba un amigo de ellos, decidió incluirlo en el reparto. Si a los sobrinos les iba a dar $32.00 a cada uno y le sobrarían $5.00, ¿cuánto les dará ahora y cuánto le sobrará? _____

❖ Compartan con el resto del grupo sus respuestas y el procedimiento que siguieron para resolver cada problema.

Dato interesante

En otros países (España por ejemplo), el procedimiento para realizar una división se escribe como se muestra a continuación.

Dividendo ⟵ 140 | 11 ⟶ Divisor
             −11   12 ⟶ Cociente
             ‾‾‾‾
              30
             −22
             ‾‾‾‾
               8 ⟶ Residuo

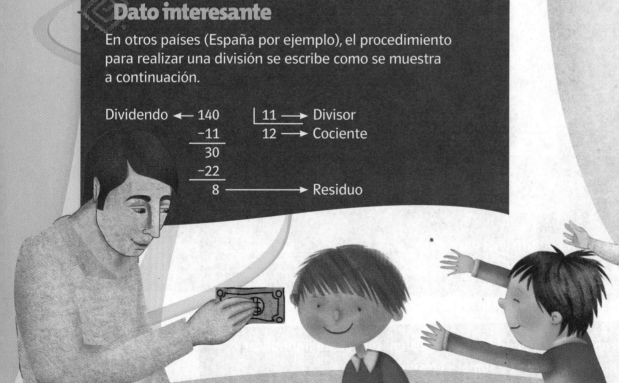

Estimación y cálculo mental

Números fraccionarios
Utiliza el cálculo mental para resolver problemas con fracciones.

17
Gimnasia cerebral
con fracciones

Lo que conozco.

❖ ¿Cuál es la cuarta parte de medio metro? _____

❖ ¿Cuántas horas tiene dos tercios de día y medio? _____

1. En parejas, resuelvan el siguiente problema.

❖ Gloria le enseñó a Isaac 135 tarjetas de futbolistas y le contó que esas representaban sólo $\frac{1}{4}$ de todas las que tenía en su casa. ¿Cuántas tarjetas tiene Gloria en total? _____

❖ Expliquen el procedimiento que siguieron para determinar el total de las tarjetas de Gloria. _____
_____

Con base en la información contesten las siguientes preguntas.

❖ ¿Cuántas tarjetas tendría en total Gloria si las que trae representaran sólo $\frac{1}{2}$ del total? _____

❖ ¿Cuántas tarjetas habría en total si las 135 que trae representaran únicamente $\frac{1}{8}$ de ellas? _____

❖ Si Gloria trae consigo 245 tarjetas y éstas representan $\frac{1}{3}$ de las que tiene en casa, ¿cuántas tarjetas serán $\frac{2}{3}$ de las que tiene en total? _____

❖ Describan de forma general el proceso que siguieron para responder las preguntas. _____

2. En parejas, resuelvan el siguiente problema.

El tío de Andrea es dueño de un rancho en donde tiene 264 cabezas de ganado vacuno adulto, que está compuesto de la siguiente manera:

$\frac{1}{12}$ son machos, $\frac{2}{3}$ son vacas sin crías y $\frac{1}{4}$ son vacas con crías.

❖ Calculen mentalmente y anoten el resultado de las siguientes preguntas.

❖ ¿Cuántos machos tiene el tío de Andrea? _____

❖ ¿Cuántas vacas con crías viven en el rancho? _____

❖ Sumen las tres fracciones dadas en el ejercicio, ¿cuál es el resultado?
_____

❖ Expliquen cómo sumaron las tres fracciones. _____
_____
_____

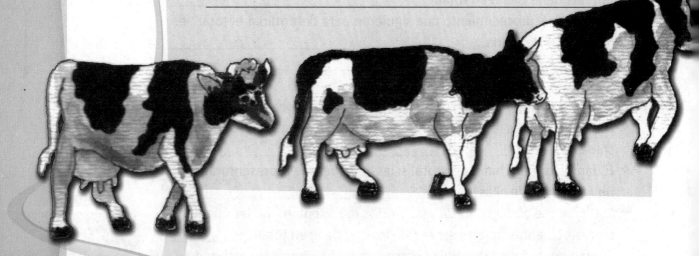

Consulta en...

En el siguiente enlace elige el juego Mmori, mediante el cual podrás poner a prueba tu habilidad para resolver problemas con fracciones.

http://ntic.educacion.es/w3/recursos/primaria/matematicas/
fracciones/menuu5.html

Figuras

Cuerpos
Construye, arma y representa cuerpos para analizar sus propiedades.

18

Construcción
de cuerpos geométricos

Lo que conozco. Cuerpos geométricos

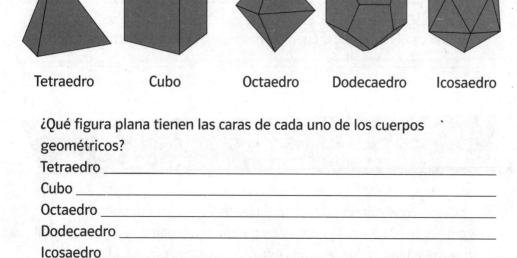

Tetraedro   Cubo   Octaedro   Dodecaedro   Icosaedro

¿Qué figura plana tienen las caras de cada uno de los cuerpos geométricos?

Tetraedro _____

Cubo _____

Octaedro _____

Dodecaedro _____

Icosaedro _____

1. Formen equipos y lleven a cabo las actividades siguientes. Utilicen una caja de cartón pequeña y una lata vacía de jugo. Numeren las caras de la caja.

En una hoja marquen con un lápiz el contorno de una cara de la caja, después gírenla de forma que marquen cada una de sus caras sin que queden espacios entre cada contorno y enumeren cada una de ellas. Recorten la figura plana que les quedó.

Armen una caja con el desarrollo que recortaron.

❖ ¿Pudieron armarla? _____

¿Por qué? _____

_____

Ahora, construyan un desarrollo que les permita armar su propia caja. Marquen con un color las aristas y con otro, los vértices.

Enumeren las caras de la caja.
Armen la caja.

Construyan un desarrollo que les permita armar un cilindro. Tomen como referencia la lata de jugo.

* ❖ ¿Cuántas aristas tiene el cilindro que construyeron? _____
* ❖ ¿Y cuántos vértices? _____
* ❖ ¿Cuáles son las diferencias entre la caja y la lata de jugo? _____
  _____
  _____
* ❖ ¿Cuál es el nombre del cuerpo geométrico que representa la caja?
  _____

Las **aristas** son los bordes que limitan las caras y los **vértices** son los puntos donde las aristas se intersecan.

2. Se desea construir un prisma rectangular. Sus aristas deben medir 8 cm, 6.5 cm y 3.5 cm. Reúnanse en parejas y dibujen en su cuaderno el desarrollo plano completo que permita formar el prisma. El siguiente dibujo representa dos caras laterales del cuerpo deseado.

8 cm   3.5 cm   6.5 cm   3.5 cm

Al terminar, recorten y armen el desarrollo; después comparen sus prismas rectangulares y expliquen cómo los construyeron.

Dato interesante

Si contamos el número de caras, vértices y aristas en los prismas y en las pirámides, siempre se cumple que:

caras + vértices − aristas = 2

19

¿Cómo se lee un mapa?

Lo que conozco. Relaciona los símbolos con su significado.

Rosa de los vientos

Bote de basura

Rampa de acceso o sitio
para personas con discapacidad

Escala

Parada de autobús

Aeropuerto

Camino de bicicletas

Metro

Gasolinera

Teléfono

Hospital

N

0   50   100   200   300   400   500 m

1. Resuelve el siguiente problema.

La familia Velásquez fue de vacaciones a la ciudad de Oaxaca y se hospedaron en un hotel que está cerca de la catedral sobre la calle de Bustamante. Ellos visitaron los lugares más representativos del centro de la ciudad.

❖ ¿Cuáles son las calles principales del centro de la ciudad? _____
_____
_____
_____

❖ ¿Entre qué calles se encuentra el hotel donde se hospedaron? _____
_____
_____

❖ Comieron en un restaurante ubicado en la avenida Juárez casi esquina con Colón. ¿Qué calles utilizaron para llegar caminando de ahí a la Plaza de la Constitución? _____
_____
_____

❖ ¿Qué otros lugares turísticos pudieron haber visitado? _____
_____
_____

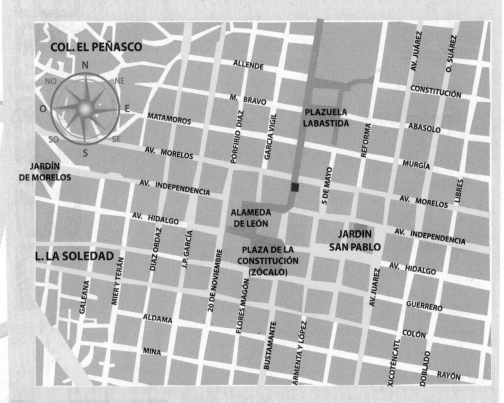

Fuente: Sitio del INEGI en internet: www.inegi.org.mx

2. Con los lugares turísticos que nombraste marca una ruta en el mapa que vaya de la plaza de la Constitución y pase por todos estos lugares.

3. Si en tu escuela tienes acceso a Internet, con ayuda de tu maestro ingresa a una página que te permita ver el mapa del lugar donde vives. En éste, ubica el camino de tu casa a la escuela. También puedes acudir a la cabecera municipal y solicitar fotografías aéreas del lugar donde vives o mapas de la zona.

4. La familia Silva que vive en Lerma, muy cerca de la ciudad de Toluca, quiere visitar la ciudad de Guadalajara. Organizados en equipos, consulten el mapa para contestar las preguntas.

De acuerdo con la información del mapa, ¿cuál sería la ruta más corta para el recorrido de la familia Silva? Descríbanla. _____
_____
_____

❖ Calculen cuál es la distancia aproximada del recorrido. _____
❖ Describan el procedimiento que siguieron para obtener su respuesta.
_____
_____
_____

Unidades
Realiza conversiones entre los múltiplos
y submúltiplos del metro, del litro y del kilogramo.

20

El **metro**
y sus **múltiplos**

Lo que conozco. En el grupo de Valeria y Rodrigo están estudiando las siguientes unidades básicas establecidas en el Sistema Métrico Decimal.

Unidad	Equivale a:
Decámetro (dam)	10 metros
Hectómetro (hm)	10 decámetros
Kilómetro (km)	10 hectómetros

Unidad	Equivale a:
Milímetro (mm)	$\frac{1}{10}$ del centímetro (cm) por lo tanto, 10 mm = 1 cm
Centímetro (cm)	$\frac{1}{10}$ del decímetro (dm) por lo tanto, 10 cm = 1 dm
Decímetro (dm)	$\frac{1}{10}$ del metro (m) por lo tanto, 10 dm = 1 m

Responde las preguntas siguientes.

❖ ¿Cuántos metros tiene un kilómetro? _____

❖ ¿A cuántos centímetros equivale un metro? _____

❖ ¿Cuántos decámetros equivalen a un hectómetro? _____

1. Valeria y sus compañeros se dieron cuenta de que 10 unidades iguales equivalen a la unidad inmediatamente mayor. Los niños ordenaron las unidades de mayor a menor, pero les faltaron algunas. Ayúdenles a completar la tabla, luego respondan lo que se pregunta.

km		dam	m		cm

❖ ¿Cuántos dm equivalen a 10 cm? _____

❖ ¿A cuántos dam equivalen 20 km? _____

❖ ¿A cuántos mm es igual $\frac{1}{10}$ de cm? _____

❖ ¿A cuántos cm es igual $\frac{1}{10}$ de m? _____

❖ ¿A cuántos cm es igual $\frac{1}{100}$ de m? _____

2. En equipos completen las siguientes tablas. Observen el ejemplo de la primera tabla.

Unidad	Equivale a:	Unidad	Equivale a:	Unidad	Equivale a:
1 kilómetro (km)	1 000 m	1 kilogramo (kg)	_____ g	1 kilolitro (kL)	_____ L
1 hectómetro (hm)	100 m	1 hectogramo (hg)	_____ g	1 hectolitro (hL)	_____ L
1 decámetro (dam)	10 m	1 decagramo (dag)	_____ g	1 decalitro (daL)	_____ L
1 metro (m)	1 m	1 gramo (g)	1 g	1 litro (L)	1 L
1 decímetro (dm)	0.1 m	1 decigramo (dg)	_____ g	1 decilitro (dL)	_____ L
1 centímetro (cm)	0.01 m	1 centigramo (cg)	_____ g	1 centilitro (cL)	_____ L
1 milímetro (mm)	0.001 m	1 miligramo (mg)	_____ g	1 mililitro (mL)	_____ L

❖ ¿Cuántos hectogramos equivalen a 10 dag? _____

❖ ¿Cuántos milímetros equivalen 0.01 hm? _____

❖ ¿Cuántos centilitros equivalen a 1 kL? _____

3. Con su equipo, resuelvan los siguientes problemas.

Con el contenido de una jarra de 600 mL se pueden llenar 3 vasos. Diego quiere organizar una reunión con sus amigos y determina que si cada uno bebe 4 vasos de jugo, con 6 jarras de 2 L le alcanzará exactamente.

❖ ¿A cuántas personas invitó Diego? _____

❖ Si Diego compra sólo recipientes de 600 mL, ¿cuántos tiene que llenar para que le alcance? _____

❖ ¿Cuántas jarras de 2 L se necesitan para tener un decalitro de jugo? _____

❖ Con tres vasos de jugo de 250 mL, ¿cuántos centilitros se tendrían? _____

❖ ¿Cuántos centilitros hay en total en 3 vasos de jugo de 250 mL cada uno? _____

21
Relación
entre dos cantidades

Lo que conozco. En un laboratorio de química se desea obtener agua combinando el oxígeno con el hidrógeno. Estas sustancias se combinan en una razón de 16 g de oxígeno con 2 g de hidrógeno. Si se tienen en el laboratorio 32 g de oxígeno:

¿Cuántos gramos de hidrógeno serán necesarios para convertir todo el oxígeno en agua? _____

1. En equipos, resuelvan el siguiente problema.

La mamá de Diego quiere inculcarle el hábito del ahorro, así que le propuso darle cada semana el doble de la cantidad de dinero que consiguiera guardar. En la siguiente tabla aparecen varias cantidades ahorradas por Diego, calculen las donaciones de su papá y complétenla. Observen el ejemplo.

A = Ahorro semanal de Diego ($)	**D = Donación semanal de su mamá ($)**	**$\frac{D}{A}$**
11	22	$\frac{22}{11} = 2$
18		
9		
24		
20		
26		

❖ ¿Qué operación realizaron para encontrar los valores de la segunda columna? _____

❖ ¿Qué relación hay entre el dinero que aporta la mamá de Diego y el dinero que él ahorra? _____
_____

❖ ¿Qué harían para completar la tabla si la mamá de Diego le diera el triple o el cuádruple de la cantidad que él ahorra? _____
_____

2. Resuelve el siguiente problema.

Juan le pidió a su mamá que le enseñara a preparar leche con chocolate. Ella le indicó que en un vaso de leche colocara 3 cucharadas de chocolate. Con esta información, ayuda a Juan a completar la siguiente tabla.

Vaso de leche	Cucharadas de chocolate
1	3
	6
3	
	12
14	
	54

❖ Explica cómo obtuviste el número de cucharadas necesarias para preparar 14 vasos de leche con chocolate. _____
_____

❖ Explica cómo supiste cuántos vasos puedes preparar con 36 cucharadas de chocolate. _____
_____

❖ Juan dice que con 30 cucharadas de chocolate se pueden preparar 20 vasos. ¿Es correcta su afirmación? _____ ¿Por qué? _____
_____
_____

> La **constante de proporcionalidad** entre dos cantidades relacionadas entre sí es el cociente de estas cantidades.

22
Compara
tus razones

Lo que conozco. Observa las imágenes.

¿En cuál de las dos tiendas conviene comprar? _____

1. Organizados en equipos, resuelvan los siguientes problemas sin realizar operaciones. Justifiquen sus respuestas.

❖ El paquete A tiene 5 panes y cuesta $15.00; el paquete B tiene 6 panes y cuesta $17.00. ¿En cuál de los dos paquetes es más barato el pan? _____ ¿Por qué? _____

_____

❖ En la papelería una caja con 15 colores cuesta $42.00 y en la cooperativa de la escuela una caja con 12 colores de la misma calidad cuesta $36.00. ¿En qué lugar es preferible comprar los colores? _____ _____Expliquen su respuesta._____

_____

_____

Una **razón** es el cociente entre dos cantidades.

Por ejemplo, en el primer ejercicio la razón entre el precio del paquete A y el número de panes es

$$\frac{\text{Precio del paquete A}}{\text{número de panes del paquete A}} = \frac{15}{5}$$

El número obtenido al simplificar la fracción anterior es el precio de cada pan. Así es fácil saber el precio de 7 panes con el mismo precio unitario (precio por cada pan), pues simplemente se calcula:

$$7 \times \frac{15}{5} = 21 \quad \text{o} \quad 7 \times 3 = 21$$

Donde 21 pesos es el precio de 7 panes.

2. Organizados en equipos resuelvan los problemas.

❖ Se preparó una naranjada A con 3 vasos de agua por cada 2 de jugo concentrado. Además, se preparó una naranjada B con 6 vasos de agua por cada 3 de jugo. ¿Cuál de las dos tiene mayor concentración de sabor? _____

Expliquen su respuesta. _____

_____

_____

❖ ¿Cuántos vasos de jugo de naranja y cuántos de agua se necesitan para preparar una naranjada que sea más concentrada que la B?

_____

Comparen sus respuestas con las de los demás equipos y determinen cuál de las opciones tendría un sabor más concentrado.

3. Resuelve el problema.

Para preparar una ración de pozole se necesitan, entre otros, los siguientes ingredientes y sus respectivas cantidades.

Ingredientes	Cantidad
Maíz	1 kg
Carne	750 g
Chile guajillo	$\frac{1}{4}$ kg
Agua	1.5 L
Sal	Al gusto

Encuentra la razón entre el peso de chile guajillo y el peso de la carne, y la razón entre el agua y el peso de la carne. Con base en lo anterior, contesta las preguntas.

❖ ¿Cuánto chile guajillo se necesita para preparar pozole, si se tiene $2\frac{1}{2}$ kg de carne? _____

❖ Con esa misma cantidad de carne, ¿cuánta agua se necesita para preparar el pozole? _____

4. En equipo, resuelvan ahora este problema.

❖ En la ciudad donde vive Carlos se instaló una feria con muchos puestos. Uno de éstos ofrece una promoción, que consiste en acumular 10 puntos para ganar 2 regalos. En otro dan 3 regalos por cada 12 puntos. ¿En cuál de los dos puestos la promoción es mejor?

_____

❖ En la feria se anunciaron más promociones. En los caballitos, por cada 6 boletos comprados se regalan 2 más. En las sillas voladoras, por cada 9 boletos comprados se regalan 3. ¿En qué juego se puede subir gratis más veces? _____

❖ ¿Qué identifican en común en los problemas que acaban de resolver?

_____

Representación de la información

Diagramas y tablas
Busca y organiza información sobre magnitudes continuas.

23

¿Cómo **organizo** mis **datos?**

Lo que conozco. Marca con una paloma ✔ lo que es posible y con tache ✗ lo que no.

❖ Darle de comer a dos patos y medio
❖ Medir 1.37 cm
❖ Recorrer 3.1234 km
❖ Plantar 15.23 árboles

1. Organizados en equipos analicen la siguiente información. Posteriormente, contesten lo que se pide.

Una situación que se ha estudiado últimamente es el efecto del peso de las mochilas en los niños. Se ha descubierto que si éstos cargan más de 10% de su peso corporal pueden tener problemas de salud, por ejemplo, de la columna.

En un grupo de quinto grado, para averiguar cuántos niños del salón cargan más de 10% de su peso corporal, el maestro llevó una báscula a la clase. Cada alumno se pesó y también pesó su mochila. Así, se pudo investigar qué porcentaje representaba el peso de la mochila respecto a su peso corporal. Los resultados obtenidos son los siguientes.

11.3%	7.5%	9.3%	9.1%	5.6%	7.5%	7.9%	7.3%	6.8%	10.8%
10.2%	7.8%	7.4%	11.3%	13.2%	8.8%	9.2%	13.4%	12.5%	12.6%
7.3%	8.1%	5.2%	6.3%	5.8%	7.9%	5.7%	9.8%	10.5%	6.4%

❖ ¿Cuál es el porcentaje más bajo? _____
❖ ¿Y cuál es el más alto? _____
❖ ¿Cuántos alumnos cargan entre 6% y 7% de su peso corporal? _____
❖ De los 30 alumnos, ¿cuántos ponen en riesgo su salud? _____
Expliquen su respuesta. _____
_____

2. Observa la tabla siguiente y complétala con los datos ofrecidos en la tabla anterior.

Intervalos (%)	Número de datos en el intervalo
5.0 a 6.9	7
7.0 a 8.9	
9.0 a 10.9	
11.0 a 12.9	
13.0 a 14.9	2
Total de datos	30

¿Qué entiendes por intervalo? _____

_____

¿Entre qué porcentajes está la mayoría de los alumnos? _____

> Una manera de organizar la información es ordenar los datos de menor a mayor, y elaborar una **tabla de frecuencias** en la que la información se agrupe por intervalos.

3. Realiza la actividad.

Cada uno de los estudiantes de tu grupo escribirá en el pizarrón su nombre y estatura en centímetros.
Con la información obtenida elabora en tu cuaderno una tabla donde resumas los datos anteriores.

❖ ¿Cuál es la mayor estatura en tu grupo? _____
❖ ¿Entre cuáles estaturas se encuentra la mayoría de tus compañeros?

_____

❖ ¿Cuál es la menor estatura? _____
❖ Investiga qué relación existe entre la alimentación y la estatura en una persona.
❖ Coméntalo con tus compañeros.

Integro lo aprendido

Ahora aplicarás los conocimientos construidos durante el bloque. Resuelve los problemas siguientes.

En un depósito de chatarra se compran diversos metales como acero, bronce, latón, plomo, hierro, aluminio y cobre. Los precios por kilogramo son: hierro a $3.00, aluminio a $70.00 y cobre a $95.00.

❖ Jorge colecta 13 kg de aluminio al mes para llevarlos a vender al depósito. Los últimos tres meses no llevó a vender el metal que logró juntar. Si hoy decide venderlo, ¿cuánto obtendrá por la venta? _____

❖ El cobre que compran en el depósito lo comprimen para formar bloques de 25 kg. En un mes se lograron formar 36 bloques y faltaron 6 kg para completar otro. ¿Cuántos kilogramos de cobre se juntaron ese mes?

_____

❖ A Julia le pagaron $36.00 por 3 kg de plomo y a Rubén, $84.00 por 7 kg. ¿Cuánto pagan en el depósito por un kilogramo de plomo? _____

❖ Los bloques de hierro tienen forma de prisma rectangular y en el depósito a cada una de sus caras le pegan una etiqueta. ¿Cuántas etiquetas le pegan a cada bloque de metal? _____

❖ En el depósito se recolectaron 2 387 kg de hierro y 1.3 t de cobre. Recuerda que 1 tonelada = 1 000 kilogramos. ¿Cuántas toneladas de hierro se recolectaron? _____ ¿Cuántos kilogramos de cobre se recolectaron? _____

❖ Un señor preguntó en el depósito por un tramo de aluminio de al menos 2.4 m y el encargado contestó que tenía tramos de 245 cm, 239 cm y 2 389 mm. ¿Cuál de ellos podrá servirle al comprador? _____

❖ En el depósito se registran diariamente las cantidades de metal que se compran. La tabla de abajo muestra las cantidades de aluminio que hoy se compraron. Ordénalas en cuatro intervalos y elabora en tu cuaderno una tabla de frecuencias.

Aluminio comprado (kg)			
7.9	9.5	8.5	7.7
8.2	9.1	10.2	8.6
8.9	7.8	9.3	9.4
7.5	8.4	9.2	10.5

❖ De acuerdo con el siguiente croquis, describe el camino que debe recorrer Marisol para llegar a los sitios indicados.

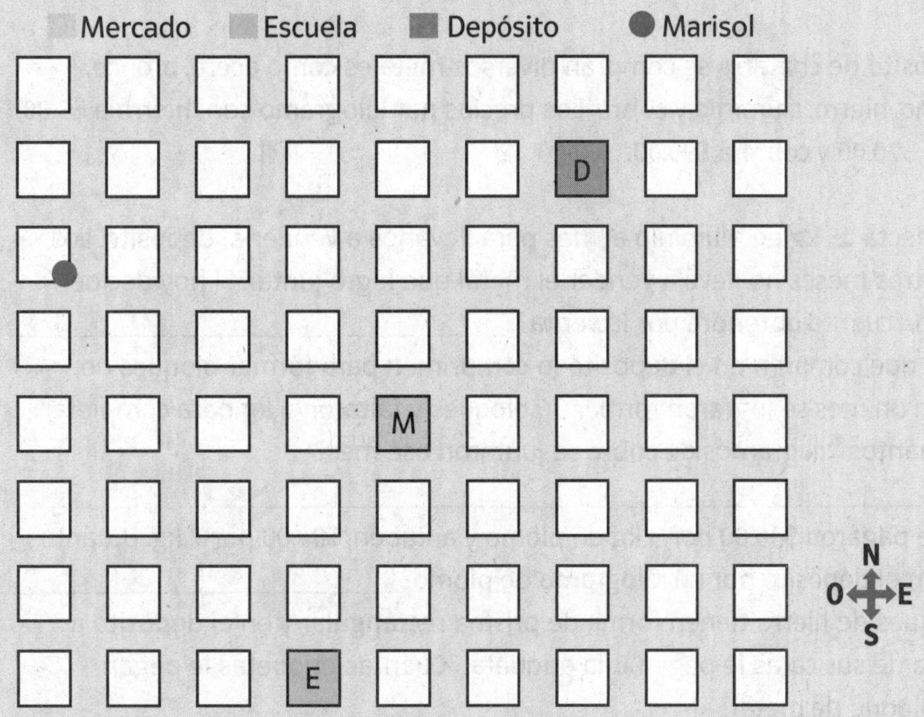

Mercado   Escuela   Depósito   ● Marisol

N
O ← → E
S

Mercado _____

_____

Escuela _____

_____

Depósito _____

_____

Evaluación

A continuación resolverás problemas en los que aplicarás los conocimientos aprendidos durante el bloque.

Instrucciones. Encierra la letra que corresponda a la respuesta correcta o completa la información que se te solicita.

1. Observa la siguiente ilustración y después contesta las preguntas.

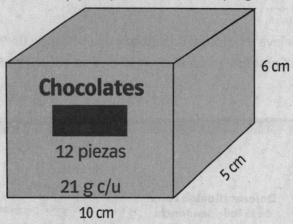

❖ Dibuja el desarrollo plano de la caja de chocolates.

❖ ¿Cuántas cajas se requieren para repartir un chocolate a cada uno de los 1 539 invitados a una fiesta?

a) 41
b) 42
c) 43
d) 44

❖ Si sólo asiste la tercera parte de las personas, ¿cuántas cajas se necesitan?

a) 12
b) 13
c) 14
d) 15

❖ ¿Cuántos kilogramos de chocolate se reparten a los 1 539 invitados?

a) 0.294 kg

b) 32.3 kg

c) 294 kg

d) 323 kg

2. De la ciudad de Celaya a Dolores Hidalgo hay una distancia de 94 km. En el kilómetro 25 está Comonfort y en el kilómetro 52 se encuentra San Miguel de Allende.

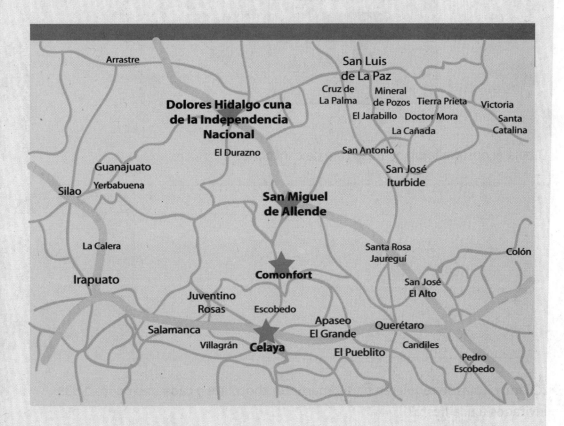

❖ De las cuatro poblaciones que se mencionan, ¿cuáles son las dos más cercanas entre ellas?

a) Celaya y San Miguel de Allende

b) Celaya y Comonfort

c) Comonfort y San Miguel de Allende

d) San Miguel de Allende y Dolores Hidalgo

3. En una fábrica de ropa se elaboran, entre otras prendas, camisas para niños. Cada camisa lleva 7 botones y se producen 59 camisas por hora. En la fábrica se trabajan 12 horas diarias durante cinco días a la semana.

Completa la siguiente tabla.

Número de horas	Número de camisas producidas	Número de botones utilizados
1	59	413
2	118	
3		
4		
5		
6		
7		
8		
9		
10		
11		
12		

❖ ¿Cuál es la proporción del número de botones con respecto al número de camisas?

a) 7 a 1

b) 1 a 7

c) 59 a 7

d) 7 a 59

❖ Elabora una tabla que registre la producción semanal. Utiliza como guía la tabla anterior.

Autoevaluación

En las casillas correspondientes, marca con una paloma ✔ lo que mejor refleje lo que piensas.

Contenidos procedimentales	Siempre lo hago	Lo hago a veces	Difícilmente lo hago
Resuelvo problemas que implican el uso de números naturales.			
Resuelvo problemas que implican establecer las relaciones entre dividendo, divisor y residuo.			
Interpreto mapas.			
Represento, construyo y analizo cuerpos geométricos.			
Resuelvo problemas que implican conversiones entre múltiplos y submúltiplos del metro.			
Resuelvo problemas que implican conversiones entre múltiplos y submúltiplos del litro.			
Resuelvo problemas que implican conversiones entre múltiplos y submúltiplos del kilogramo.			
Resuelvo problemas donde se debe encontrar la constante de proporcionalidad.			
Organizo información de magnitudes continuas.			

Contenidos actitudinales	Siempre lo hago	Lo hago a veces	Difícilmente lo hago
Cuando trabajo en equipo, aprendo de mis compañeros.			
Cuando trabajo en equipo, efectúo mejor las cosas que si las llevo a cabo individualmente.			
Respeto las opiniones de mis compañeros.			

Bloque III

EXTRA
Votaciones en Jalisco

En el estado de Jalisco, con una población aproximada de seis millones novecientos ochenta y nueve mil trescientos habitantes, se eligió a su gobernador el pasado domingo. Al contar los votos de un distrito electoral se obtuvieron los siguientes resultados.

Partido A:
Ciento cincuenta mil cinco votos

Partido B
Doscientos treinta mil cuatrocientos dos votos

Partido C:
Ciento noventa y tres mil sesenta y dos votos

Votos nulos:
Doscientos dos mil

Abstenciones:
Cinco mil quinientas

Aprendizajes esperados

- **Reconoce relaciones entre las reglas de funcionamiento del sistema de numeración decimal oral y de otros sistemas.**
- **Resuelve problemas de comparación y orden entre números decimales.**
- **Ubica fracciones propias e impropias en la recta numérica a partir de distintas informaciones.**
- **Resuelve problemas que implican sumar o restar fracciones (con denominadores diferentes) y decimales.**
- **Identifica y traza las alturas de triángulos.**
- **Resuelve problemas que implican el uso de la fórmula para calcular el área de paralelogramos, triángulos y trapecios, usando el metro cuadrado y sus múltiplos o submúltiplos y las medidas agrarias.**
- **Resuelve problemas usando el porcentaje como constante de proporcionalidad.**
- **Determina el espacio muestral de un experimento aleatorio.**

24 Número de cifras

Lo que conozco. Lee la noticia de la página anterior y contesta las preguntas.

❖ Escribe con número todas las cantidades que se encuentran en la noticia.

_____   _____

_____   _____

_____   _____

❖ ¿Qué partido obtuvo más votos? _____

❖ ¿Qué fue mayor, la cantidad de personas que votaron o las que se abstuvieron? _____

1. Reúnanse en parejas y escriban con números las siguientes cifras en su cuaderno.

❖ Setecientos cincuenta y siete mil
❖ Cinco mil siete
❖ Siete mil cincuenta y dos
❖ Cincuenta mil setecientos
❖ Cinco mil setecientos treinta y cuatro

2. Sin escribir los números con cifras, indiquen cuál es el mayor. Expliquen su respuesta.

Doscientos siete mil ocho	Ciento veinticuatro mil doscientos treinta y siete
Novecientos mil cuatrocientos ochenta y nueve	Cuarenta mil dos
Ochocientos mil cuarenta y siete	Ochocientos mil seiscientos cincuenta y dos

3. Coloca la letra donde corresponda.

a)	4 568	( ) Cinco mil quinientos cinco
b)	5 335	( ) Quinientos cinco mil
c)	355 000	( ) Trescientos mil cuarenta y siete
d)	505 000	( ) Cinco mil trescientos treinta y cinco
e)	5 505	( ) Cuatro mil quinientos sesenta y ocho
f)	2 423	( ) Tres mil cuatrocientos veintisiete
g)	3 427	( ) Trescientos cincuenta y cinco mil
h)	300 047	( ) Dos mil cuatrocientos veintitrés

Los números romanos se usan, entre otras cosas, para representar los siglos o las horas en algunos relojes. Los símbolos para escribir estos números son:

Símbolo	I	V	X	L	C	D	M
Valor	1	5	10	50	100	500	1 000

Un reloj que tiene números romanos marca la siguiente hora:

Son las 12 porque X vale 10 y II es igual a 2.

XII = 10 + 2 = 12

Dato interesante

¿Sabías que el gogol es un número que se escribe con el 1 seguido de 100 ceros?

4. Para escribir un número romano se deben seguir las siguientes reglas.

❖ Sólo puede repetirse el I, X, C y M; éstos pueden aparecer máximo tres veces en un número y de forma consecutiva.

❖ Los casos en los que se resta un número de menor valor colocado a la izquierda de otro de mayor valor son:

IV = 4, IX = 9, XL = 40, XC = 90, CD = 400 y CM = 900.

❖ El resto de los números se suman para formar la cantidad, por ejemplo, el 49 = 40 + 9 = XLIX o 33 = XXXIII.

Formen equipos y completen la tabla.

Números romanos	Números arábigos
III	3
VIII	
LV	
CLXXXIV	
MCMXC	

5. Observa las siguientes imágenes y transforma los números romanos en números arábigos:

Vivimos en el siglo XXI

La Revolución Mexicana inició a principios del siglo XX

Descubrí América en el siglo XV

6. Calcula las operaciones del cuadro y transcribe el resultado en numeración romana.

Operación	Resultado	Equivalente en romano
25 + 29 =		
17 x 49 =		
1 500 ÷ 50 =		
10 000 − 6 001 =		
1 000 + 100 + 10 + 1 − 9 =		

RETO

¿Cómo piensas que sumaban los romanos?

Intenta resolver las siguientes operaciones utilizando los números romanos.

IV + III =   XIV + XXVII =   LV + XXII =

_____   _____   _____

Convierte los números a su equivalente arábigo y comprueba si los resultados son correctos.

En parejas, expliquen el procedimiento seguido para obtener sus resultados. _____

¿Cómo hacían los romanos para escribir el número 5 000? Comenta con tus compañeros e investiguen la forma en que escribían este número. _____

Números fraccionarios
Aplica fracciones equivalentes y compara
con fracciones de distinto denominador.

25

Fracciones: ¿iguales o distintas?

Lo que conozco. Resuelve el siguiente problema.

Con motivo de su cumpleaños, los amigos de Diana le organizaron una fiesta sorpresa. Elisa y Talía se encargaron de la decoración: cada una llevó cinta para adornar. El rollo de Elisa medía 3 m y el de Talía, 6 m. Elisa dividió su rollo en 5 partes iguales para hacer moños y Talía dividió el suyo en 10 partes iguales para colocar tiras entre los moños. Representa en una de las rectas numéricas la medida de los trozos de listón de Elisa y en otra recta, los de Talía.

¿Cuál trozo de listón es más largo, el de Elisa o el de Talía? _____

En parejas, lean los siguientes textos y resuelvan los problemas.

1. Berenice y Sara también son amigas de Diana. Ellas llevaron las bolsas de dulces y apoyaron en la organización de la fiesta. Berenice llevó dulces para los niños y colocó 32 paletas en 8 bolsas. Sara llevó 64 caramelos para las niñas y los colocó en 16 bolsas. ¿Cuáles bolsas contenían más dulces, las de las niñas o las de los niños? _____
Expresa los resultados en fracciones y ubícalos en la recta numérica que a continuación se presenta:

2. Colorea los siguientes globos como se indica: de rojo $\frac{3}{9}$ del total, de verde $\frac{6}{18}$ y de amarillo $\frac{9}{27}$.

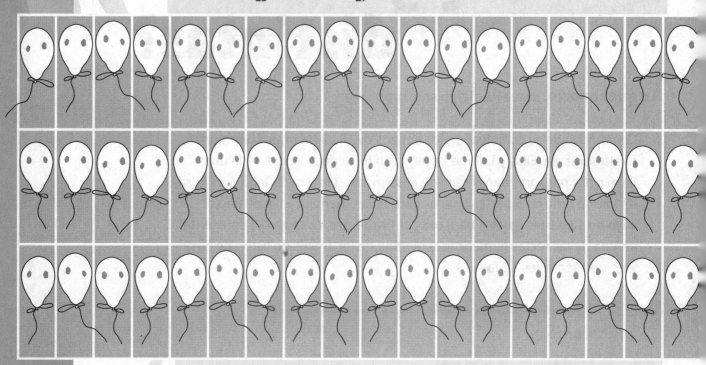

❖ ¿De qué color habrá más globos? _____

❖ ¿Por qué? _____

_____

Ubica las fracciones en la recta.

├───┤

Una forma de obtener fracciones equivalentes es multiplicar una fracción por un entero representado en forma de fracción.

Recuerda que un entero es igual a una fracción cuyo numerador es igual al denominador, es decir, $1 = \frac{2}{2} = \frac{3}{3} = \frac{4}{4} = \frac{5}{5} = \ldots$

Por ejemplo, tenemos que $\frac{3}{5} \times 1$ equivale a multiplicar $\frac{3}{5} \times \frac{3}{3}$

$$\frac{3}{5} \times \frac{3}{3} = \frac{3 \times 3}{5 \times 3} = \frac{9}{15}$$

3. En parejas, realicen las siguientes actividades.

Ana llevó a la escuela 4 naranjas para repartirlas en partes iguales entre ella y 7 amigas.

a) ¿Qué fracción de naranja le tocó a cada una de las amigas de Ana? _____

c) Al llevar 8 naranjas y repartirlas entre 16 personas, ¿qué fracción de naranja le tocaría a cada una de ellas? _____

b) ¿Qué cantidad les correspondería a Ana y a sus 7 amigas si lleva 8 naranjas para repartir? _____

d) ¿Qué cantidad obtendrían si llevara 4 naranjas y las repartiera entre 15 amigos y ella? _____

Con los datos anteriores, completen la siguiente tabla.

Incisos	a	b	c	d
Niños	8			
Naranjas	4			
Naranjas por niño	$\frac{4}{8}$			

❖ ¿Cómo es la fracción del inciso **a)** respecto a la del inciso **c)**? _____
   ¿Por qué? _____
   _____

❖ ¿Cómo es la fracción del inciso **a)** respecto a la del inciso **d)**? _____
   ¿Por qué? _____
   _____

4. Observa la primera fila de ejemplo y completa la tabla.

Fracción	Fracción entera por la que se multiplicó	Operación	Fracción equivalente
$\frac{1}{4}$	$\frac{3}{3}$	$\frac{1}{4} \times \frac{3}{3} = \frac{3}{12}$	$\frac{3}{12}$
		$\frac{3}{6} \times \frac{2}{2} = \frac{6}{12}$	$\frac{6}{12}$
$\frac{1}{2}$			$\frac{5}{10}$
	$\frac{4}{4}$		$\frac{12}{16}$
$\frac{5}{3}$			$\frac{10}{6}$
$\frac{5}{6}$			$\frac{15}{18}$

❖ Escriban cuatro fracciones que sean equivalentes.

a) $\dfrac{3}{7}$ = _____ = _____ = _____ = _____

b) $\dfrac{4}{5}$ = _____ = _____ = _____ = _____

RETO

Compara las fracciones y escribe en el recuadro el signo **>** , **<** o **=** , según sea el caso. Después, acomoda las fracciones en una recta.

$\dfrac{3}{5}$ ☐ $\dfrac{10}{20}$ $\dfrac{2}{3}$ ☐ $\dfrac{3}{4}$ $\dfrac{2}{6}$ ☐ $\dfrac{2}{5}$

$\dfrac{7}{8}$ ☐ $\dfrac{5}{6}$ $\dfrac{1}{3}$ ☐ $\dfrac{3}{9}$

Una forma de comparar dos fracciones entre sí es expresarlas como fracciones equivalentes de tal manera que ambas tengan el mismo denominador.

Por ejemplo, en las fracciones 35 y 46 para saber qué fracción es mayor puede hacerse lo siguiente: multiplicar ambas fracciones por un entero, de tal forma que el denominador común sea 30.

$$\frac{3}{5} \times \frac{6}{6} = \frac{18}{30} \qquad \frac{4}{6} \times \frac{5}{5} = \frac{20}{30}$$

De este modo podemos ver que $\frac{3}{5} < \frac{4}{6}$ porque al comparar sus respectivas fracciones equivalentes vemos que $\frac{18}{30} < \frac{20}{30}$.

Consulta en...

Con apoyo de su profesor ingresen a la dirección siguiente y en parejas resuelvan los problemas que se proponen en el "Test".

http://www.isftic.mepsyd.es/w3/recursos/primaria/matematicas/fracciones/menuu4.html

$$\frac{1}{4} = \frac{2}{8}$$

26

¿Un **número** más **pequeño** que **0.1?**

Lo que conozco. Realiza en tu cuaderno las actividades que se indican.

Pedro fabricará un librero para su cuarto. Para ello ha tomado varias medidas, registrándolas en la siguiente tabla.

Ancho	1.80 m	
Alto	2 m	
Fondo	0.40 m	
Ancho del entrepaño A	1.305 m	
Ancho del entrepaño B	1.035 m	
Ancho del entrepaño C	1.40 m	
Ancho del entrepaño D	1.350 m	

❖ Ordena las medidas de la tabla de mayor a menor.
_____
_____

❖ Escribe en la tercera columna de la tabla las medidas del librero de Pedro en forma de fracción decimal.

❖ Escribe una medida cualquiera que sea mayor que 1.8 pero menor que 2.0 m. _____

1. En parejas, respondan las siguientes preguntas. Utilicen la información de la imagen y consideren el cuadro azul como una unidad; el rectángulo rojo representa un décimo.

❖ ¿Qué fracción de la unidad representa el cuadrado morado?
_____

❖ ¿Qué fracción de la unidad representa el rectángulo verde?
_____

❖ ¿Qué es mayor, un décimo o un centésimo? _____

❖ ¿Cuántos centésimos hay en un décimo? _____

❖ ¿Qué parte de un décimo es un centésimo? _____

❖ ¿Qué es mayor, un centésimo o un milésimo? _____

❖ ¿Qué parte de un centésimo es un milésimo? _____

❖ En 3 décimos, ¿cuántos centésimos hay? _____

❖ En 3 décimos, ¿cuántos milésimos hay? _____

❖ En 5 centésimos, ¿cuántos milésimos hay? _____

❖ En 480 milésimos, ¿cuántos centésimos hay? _____

❖ ¿235 milésimos son equivalentes a $\frac{2}{10} + \frac{3}{100} + \frac{5}{1\,000}$? _____
¿Por qué? _____
_____
_____

❖ ¿Cómo se escribe $\frac{354}{1\,000}$ en notación decimal? _____

2. En parejas, realicen la siguiente actividad.

En cada rectángulo de la figura siguiente coloquen los números que correspondan.

7.750
7.09
7.740
7.05
7.500
7.75
7.7
7.07
7.90

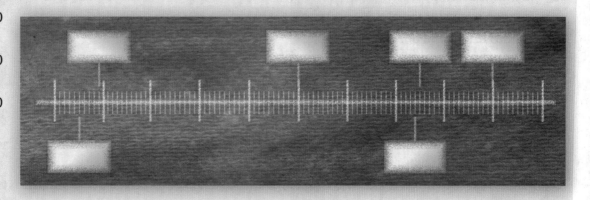

RETO

❖ Ordenen de menor a mayor los números de la lista anterior. _____ _____ _____

❖ Anoten dos números mayores que 7.8, pero menores que 7.9. _____ _____ _____

Comprueben su respuesta en la siguiente recta.

❖ ¿Existirá un número entre 7.25 y 7.26? _____ Expliquen su respuesta _____ _____ _____ _____

Comparen sus respuestas en grupo y elaboren una conclusión general sobre la última pregunta.

7   7.5   8

Significado y uso de las operaciones

Problemas aditivos
Resuelve problemas que incluyen sumas
o restas de fracciones y números decimales.

27

Fracciones
de la hoja

Lo que conozco. En parejas hagan lo que se indica a continuación.

❖ Doblen por la mitad una hoja de papel de reúso y recórtenla. Escriban
en una de las partes la fracción que representa de la hoja completa.

❖ Corten a la mitad la sección de la hoja donde no escribieron. ¿Qué
fracción representa cada uno de los nuevos pedazos con respecto a la
hoja original? Escriban la fracción en los pedazos.

❖ Doblen a la mitad el medio. Comparen lo que les quedó, en ambos
lados del doblez, con una de las fracciones que obtuvieron en el paso
anterior. ¿Cómo son? _____

Si sumas ambas fracciones de hoja, ¿cuál es el resultado? _____
Con el apoyo del maestro, representen mediante una operación el
ejercicio que hicieron con la hoja.

Verifiquen si este resultado coincide con lo que acaban de hacer. De lo
contrario, repitan el proceso.

1. Observen la tabla y contesten las preguntas.

A	C
B	D
E	
F	
G	
H	

❖ Escriban en sus cuadernos qué fracción representa cada uno de los rectángulos identificados con una letra.

❖ ¿A cuántos octavos equivalen B, C y D? _____

❖ Sumen A + E + F + G, sustituyendo cada letra por su valor en fracciones. _____

Una forma de realizar la operación $\frac{1}{4} + \frac{3}{8}$ es transformar todos los sumandos en fracciones con igual denominador. Para ello, será necesario multiplicar la fracción $\frac{1}{4}$ por $\frac{2}{2}$ y de este modo obtener su equivalente en octavos. Así tendríamos que $\frac{1}{4} \times \frac{2}{2} = \frac{2}{8}$ y al sumarlo a $\frac{3}{8}$ el resultado es igual a $\frac{5}{8}$.

$$\frac{1}{4} + \frac{3}{8} = \frac{2}{8} + \frac{3}{8} = \frac{5}{8}$$

$\frac{1}{4}$ + $\frac{3}{8}$

$$\frac{1}{4} + \frac{3}{8} = \frac{5}{8}$$

2. En parejas, resuelvan los problemas siguientes:

❖ Claudia compró primero $\frac{3}{4}$ kg de uvas y luego $\frac{1}{2}$ kg más. ¿Qué cantidad de uvas compró en total? _____

❖ Para confeccionar los adornos de un traje, Luisa compró $\frac{2}{3}$ m de listón azul y $\frac{3}{4}$ m de color rojo. ¿Cuánto listón compró en total? _____

❖ Pamela compró una pieza de carne y utilizó $\frac{3}{8}$ de kilogramo para un guisado. Si sobraron $\frac{3}{4}$ de kilogramo, ¿cuánto pesaba la pieza que compró? _____

❖ Laura ocupó $\frac{3}{6}$ de metro de una cinta adhesiva que contenía $2\frac{1}{3}$ metros. ¿Qué cantidad de cinta quedó? _____

❖ En un grupo de quinto grado, cada alumno practica sólo uno de tres deportes: $\frac{1}{3}$ del grupo juega futbol, $\frac{1}{2}$ entrena basquetbol y el resto practica natación. ¿Qué fracción del total del grupo practica natación? _____

RETO

Realiza las siguientes operaciones.

a) $\frac{1}{5} + \frac{3}{10} =$

b) $\frac{1}{3} + \frac{1}{5} =$

c) $\frac{2}{3} + \frac{1}{6} + \frac{3}{2} =$

Significado y uso de las operaciones

Multiplicación y división
Obtén el residuo de una división, resuelta con calculadora.

28
Divisiones con
calculadora

Lo que conozco. Formen equipos. Con los datos de la tabla y con ayuda de la calculadora obtengan el cociente.

Dividendo	Divisor	Cociente (calculadora)	Parte entera del cociente
44	8	5.5	5
63	4		
98	5		
144	25		
363	55		

Utilicen los datos del divisor, dividendo y la parte entera del cociente para averiguar cuál es el residuo.

¿Cómo encontraron el residuo? _____

_____

Cuando hayan encontrado el residuo completen la siguiente tabla.

Residuo	Dividendo	Divisor	Parte entera del cociente
4	44	8	5
	63	4	
	98	5	
	144	25	
	363	55	

1. En parejas, realicen lo que se indica a continuación.

Por las tardes, Sonia le ayuda a su mamá a embolsar caramelos cubiertos de chocolate. En cada bolsa colocan 8 piezas y al final del día registran en una tabla la cantidad de bolsas que consiguen llenar.
Completen en la tabla las anotaciones de Sonia.

Cantidad de caramelos	Cantidad de bolsas	Cantidad de caramelos que sobran
39	4	7
84	10	
125	15	
222	27	
364	45	
387	48	
450	56	

❖ Describan cómo obtuvieron la cantidad de caramelos que sobran en cada caso. _____
_____
_____

2. En parejas, analicen la siguiente información y realicen lo que se pide.

En una panadería empaquetan bocadillos en recipientes de una docena (12 piezas). La persona responsable de llevar el control tiene que registrar la siguiente información: cantidad de bocadillos producidos, recipientes con 12 bocadillos y bocadillos sobrantes. Con la calculadora, lleven a cabo las operaciones necesarias para completar la tabla.

Bocadillos producidos	Resultado con calculadora	Recipientes con 12 bocadillos	Bocadillos que sobran
246	20.5	20	6
267	22.25		
282	23.5		
291		24	
306			
309			

Cuando todo el grupo haya concluido, con ayuda del profesor, comparen sus respuestas, escríbanlas en sus cuadernos y elaboren una explicación general sobre cómo se obtiene el cociente entero y el residuo de una división.

29

Un **triángulo** muy **alto**

Lo que conozco. Traza la altura de los triángulos siguientes.

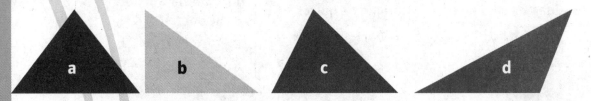

Compara tus trazos con los de tus compañeros.

Mide la altura de cada triángulo y anótala junto al trazo que hiciste.

A partir de esta posición y respecto a los demás triángulos, ¿cuál tiene una altura distinta? _____

¿Quién dice lo correcto? _____
Comenten esta pregunta con sus compañeros y profesor.

La **altura** de un triángulo se define como la menor distancia que hay entre un vértice y su lado opuesto o la prolongación de éste.

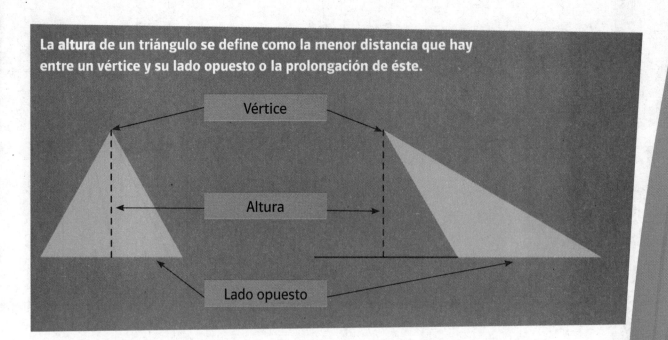

Vértice

Altura

Lado opuesto

1. Traza la altura de los siguientes triángulos.

Gira el libro, colócalo de lado y traza la altura de cada triángulo desde esta posición.

¿Puede un triángulo tener más de una altura? _____

¿Por qué? _____

¿Cuántas alturas puede tener como máximo un triángulo? _____

2. Calcula el área de los triángulos 1 y 2 que se forman dentro del siguiente cuadrado.

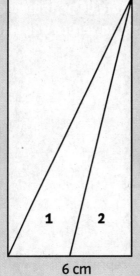

12 cm

6 cm

¿Cuál triángulo tiene mayor área? _____

RETO

¿Cuál de los siguientes triángulos tiene mayor área? _____

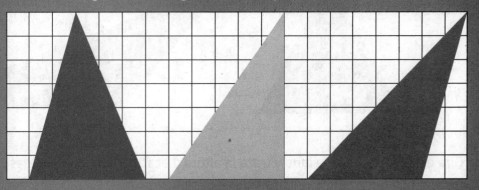

Explica tu respuesta._____

_____

_____

_____

_____

_____

_____

Medidas

Estimación y cálculo
Construye una fórmula para calcular el área del paralelogramo.

30

El paralelogramo

y su área

Lo que conozco. Realiza la siguiente actividad.

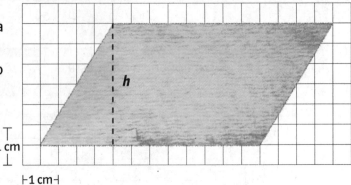

❖ Traza en una hoja cuadriculada un romboide como el que se presenta en seguida. Coloréalo y recórtalo. La línea punteada representa la altura de la figura.

❖ ¿Cuánto mide la altura (h) del romboide? _____

❖ ¿Cuánto mide su base? _____

❖ Recorta el triángulo que se formó a partir de la altura trazada (línea punteada).

❖ Con las dos piezas forma un rectángulo.

❖ ¿Cuánto mide la altura del rectángulo que formaste? _____

❖ ¿Cuánto mide su base? _____

❖ Compara las alturas y las bases del romboide y del rectángulo. ¿Cómo son entre sí? _____

❖ Calcula el área del rectángulo. _____

❖ Escribe cómo puedes calcular el área de un romboide si conoces la medida de su base y de su altura. _____

_____

_____

1. En parejas, resuelvan lo siguiente.

Mariana va a construir un papalote con forma de rombo. Para hacerlo compró dos varitas, una de 24 cm y otra de 18 cm, que serán los soportes diagonales del rombo. Además compró un pliego de papel de China y 1.5 m de hilo para formar el perímetro del rombo.

❖ Dibujen en una hoja de reúso el rombo que armó Mariana y tracen sus diagonales.

❖ ¿En cuántas partes quedó dividido el rombo por sus diagonales? _____ ¿De qué forma son? _____

❖ Recorten las figuras que formaron y con ellas armen un rectángulo y obtengan su área. ¿Qué relación hay entre el área del rombo y el área del rectángulo? _____

❖ ¿Qué fórmula permite calcular el área del rombo si se conoce la medida de sus diagonales?

  [ ]

  Expliquen su respuesta.

  _____
  _____
  _____
  _____
  _____
  _____

RETO

Al concluir, comparen sus respuestas y, con el apoyo del maestro, elaboren una fórmula común para calcular el área de los rombos. Anótenla en el recuadro.

Estimación y cálculo
Deduce la fórmula para calcular el área de figuras
que resultan de la combinación de otras.

31

Triangula **cuadriláteros**
y encuentra su **área**

Lo que conozco. Reúnete con dos de tus compañeros y realicen la actividad.

❖ Tracen en una hoja de reúso un romboide de 10 cm de base y 5 cm de altura.

❖ ¿Cuál es el área del romboide? Escriban la fórmula que utilizaron y el resultado. _____

_____

❖ Tracen una diagonal en dicho romboide. ¿Qué figuras obtuvieron? _____

_____

❖ ¿Son iguales las áreas de estas figuras? _____

❖ ¿Qué relación hay entre el área del romboide y la de cada triángulo?

_____

_____

❖ Escriban la fórmula que les permita calcular el área de esos triángulos.

_____

❖ Pase un miembro de cada equipo a escribir su respuesta en el pizarrón.

❖ Tracen un triángulo en una hoja doblada a la mitad. Recorten el triángulo de forma que obtengan dos del mismo tamaño y la misma forma. Únanlos para formar un romboide.

❖ Obtengan el área del romboide: _____ cm²

❖ ¿Cuál es el área de uno de los triángulos? _____ cm²

❖ De manera grupal, elaboren una fórmula para calcular el área de un triángulo. Anótenla en el siguiente recuadro.

1. En equipos, contesten las preguntas.

Las mesas de la escuela a la que asiste Gabriela tienen forma de trapecio. Ella va a forrar la suya y ha decidido calcular su área. Como todavía no conoce la fórmula para calcular el área de un trapecio, Gabriela trazó dos líneas en su banca de la siguiente manera:

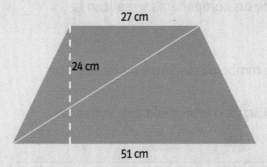

De esta forma puede dividir el trapecio en dos figuras cuya área es fácil de obtener.

❖ ¿De qué otra manera se puede calcular el área de un trapecio? Descríbanla. _____

_____

2. Observen la siguiente figura y contesten las preguntas.

❖ ¿Cuál es el área del romboide? _____

❖ Escriban una fórmula para calcular el área de un trapecio si se conocen las medidas de su base mayor, base menor y altura. _____

_____

Comenten sus respuestas, y en grupo elaboren una fórmula para calcular el área de un trapecio.

Escriban en el siguiente recuadro la fórmula que pueden utilizar de ahora en adelante para calcular el área de un trapecio.

3. Con triángulos equiláteros como los siguientes se formaron otras figuras. Encuentra su área y perímetro.

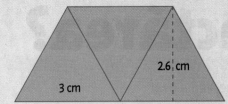

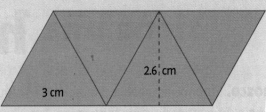

	Área	Perímetro
Trapecio		
Romboide		

El trapecio y el romboide son cuadriláteros. La fórmula para obtener el área (A) de estas figuras es:

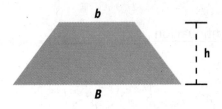

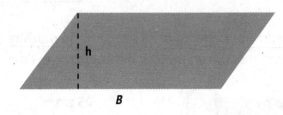

$$A = \frac{(B + b) \times h}{2}$$

$$A = B \times h$$

RETO

Determina las medidas necesarias para calcular el área de esta figura.

El área total es _____

Medida

Unidades
Aplica los múltiplos y submúltiplos
del metro cuadrado y de las medidas agrarias.

32

¿Cuántas áreas tiene una hectárea?

Lo que conozco. En parejas, realicen la actividad siguiente. Van a usar como referencia un cuadrado cuyo lado mide 1 m.

Encuentren el área de cada cuadrado a partir de las medidas de uno de sus lados.

Lado = 1 m   Área = _____

Lado = 10 dm   Área = _____

Lado = 100 cm   Área = _____

Lado = 1 000 mm   Área = _____

El lado de un cuadrado mide 25 cm, como se muestra a continuación. Expresa esta medida en metros, decímetros y milímetros.

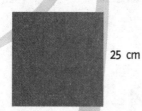

25 cm

25 cm = _____ m

25 cm = _____ dm

25 cm = _____ mm

Ahora obtén el área y perímetro del cuadrado anterior en las unidades que se indican.

Área	Perímetro
_____ m²	_____ m
_____ dm²	_____ dm
_____ cm²	_____ cm
_____ mm²	_____ mm

1. Analiza la siguiente información y realiza lo que se pide.

Para medir superficies muy grandes se utiliza como unidad de medida el kilómetro cuadrado, que se abrevia km^2. El estado de Aguascalientes, por ejemplo, tiene un área de $5\,618\,km^2$.

Algunas equivalencias entre distintas unidades de medida de superficie son:

1 kilómetro cuadrado (km^2)	=	100 hectómetros cuadrados (hm^2)
1 hectómetro cuadrado (hm^2)	=	100 decámetros cuadrados (dam^2)
1 decámetro cuadrado (dam^2)	=	100 metros cuadrados (m^2)
1 metro cuadrado (m^2)	=	100 decímetros cuadrados (dm^2)
1 decímetro cuadrado (dm^2)	=	100 centímetros cuadrados (cm^2)
1 centímetro cuadrado (cm^2)	=	100 milímetros cuadrados (mm^2)

Otras equivalencias que conviene tener presentes son:

$$1 \text{ área} = 100 \text{ } m^2$$
$$1 \text{ hectárea} = 10\,000 \text{ } m^2$$
$$1 \text{ centiárea} = 1 \text{ } m^2$$

$$1 \text{ } km^2 = 1\,000\,000 \text{ } m^2$$

Utiliza estas equivalencias y responde las siguientes preguntas.

❖ ¿Cuántos m^2 hay en 5 km^2? _____

❖ ¿Cuántos m^2 hay en 5 hectáreas? _____

❖ ¿Cuántos m^2 hay en 1.5 hectáreas? _____

❖ ¿A cuántos m^2 equivale el área del estado de Aguascalientes?

_____

En la agricultura se emplean el **área** y la **hectárea**, que son unidades de medida de superficie equivalentes al decámetro cuadrado y al hectómetro cuadrado, respectivamente.

$$1 \text{ área} = 100 \text{ } m^2 = 1 \text{ } dam^2$$
$$1 \text{ hectárea (ha)} = 10\,000 \text{ } m^2 = 100 \text{ áreas} = 1 \text{ } hm^2$$

Por otra parte, cuando se quiere medir una producción muy grande de granos, carne o acero, se emplea la tonelada (que es una medida de peso).

$$1 \text{ tonelada (t)} = 1\,000 \text{ kg}$$

2. Reúnanse en equipos y lleven a cabo en sus cuadernos la siguiente actividad.

En un experimento realizado por investigadores mexicanos se utilizaron 60 kg por ha de fertilizante. El rendimiento de maíz fue de 3.277 t por ha. Se necesita fertilizar un campo de maíz de forma rectangular que mide 750 m de largo por 500 m de ancho. ¿Cuánto fertilizante debe utilizarse?

_____

Suponiendo que las condiciones no cambien, ¿cuál será el rendimiento?

_____

3. En parejas, realicen la siguiente actividad.

Se tiene un campo cuadrado de 804.5 m de lado con siembra de maíz. ¿Cuánto fertilizante debe utilizarse? _____

Si se cuenta con 210 kg de fertilizante, ¿cuántas hectáreas pueden fertilizarse? _____

RETO

Tenemos un campo de tomate con la siguiente forma y medidas y se sabe que produce 2 600 t por ha sin usar fertilizante.

¿Cuál será el rendimiento del campo? _____

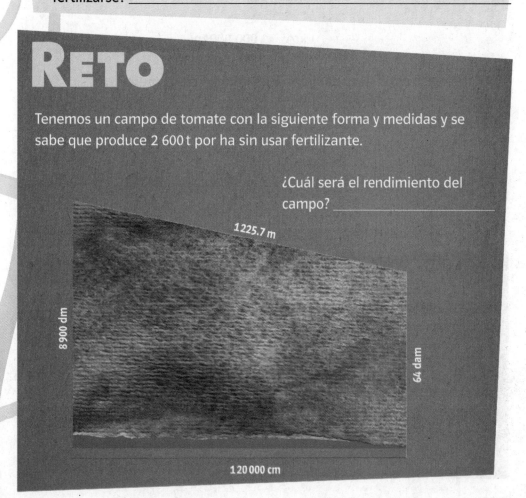

1225.7 m

8900 dm

64 dam

120 000 cm

33

¿Qué porcentaje?

Lo que conozco. En parejas, resuelvan los siguientes problemas.

En una tienda de autoservicio por cada $100.00 de compra a las personas de la tercera edad les descuentan $5.00.

❖ En función de esto, determinen de cuánto es el descuento que se aplica en cada una de las compras que aparecen en la siguiente tabla.

Compras	Descuento
$ 100.00	$ 5.00
$ 200.00	
$ 250.00	
$ 300.00	
$ 400.00	
$ 450.00	

❖ Si la cantidad de compra aumenta al triple, ¿cómo aumenta la cantidad de descuento?
_____

❖ Si la cantidad de compra se reduce a la mitad, ¿qué pasa con la cantidad de descuento? _____
❖ Expliquen sus respuestas. _____
_____
_____

❖ Describe cómo se puede calcular rápidamente el descuento que se otorgará de acuerdo con la cantidad de compra. _____
_____
_____

1. En una tienda de autoservicio la ganancia para el dueño es $25.00 por cada $100.00 de ventas. Si el total de ventas en una hora fue de $25 000.00, ¿a cuánto asciende la ganancia? _____

❖ Describe cómo obtuviste el resultado. _____
_____
_____

❖ Si la venta es de $10 000.00, ¿cuánto dinero ganó el dueño? _____

Dato interesante

¿Sabías que del peso corporal de una persona adulta aproximadamente 65% corresponde a agua y en un bebé es hasta de 80 por ciento?

2. En equipo, realicen la siguiente actividad.

Estela reparte su salario de $5 000.00 mensuales de la siguiente forma: $\frac{1}{4}$ en transporte al mes, $\frac{1}{2}$ en comida, $\frac{1}{8}$ en ropa y el resto lo guarda para algún imprevisto.

❖ ¿Qué porcentaje corresponde a cada gasto? _____
❖ ¿Cuánto dinero guarda Estela? _____
❖ Expresa tu resultado en fracción y en porcentaje. _____
_____

Utilizamos los porcentajes para comparar de manera proporcional dos cantidades que de otra forma sería difícil relacionar. Por ejemplo, si en un grupo de 50 alumnos hay 7 bilingües y en otro grupo de 20 alumnos hay 5, para poder comparar en cuál de los dos salones hay proporcionalmente más alumnos bilingües se toma como unidad 100 alumnos y se calcula cuántos de esos 100 representan los alumnos bilingües en cada salón. Esto se representa así:

En el grupo de 50 alumnos 14% son bilingües y en el grupo de 20 alumnos 25% son bilingües.

	Porcentaje
Grupo de 50 alumnos	100 %
Alumnos bilingües: 7	14 %

	Porcentaje
Grupo de 20 alumnos	100 %
Alumnos bilingües: 5	25 %

RETO

A Rosa le regalaron en su cumpleaños una caja de chocolates con 20 piezas. Decidió compartir los chocolates con sus hermanos, e hizo lo siguiente: guardó 50% para ella; del resto, regaló 10% a uno de sus hermanos y 40% a cada uno de los restantes.

¿Con cuántos chocolates se quedó ella? _____

¿Cuántos chocolates le dio a cada uno de sus hermanos? _____

Representa en forma de fracción cada una de las partes en que se dividió la caja de chocolates. _____

_____

_____

_____

_____

Análisis y representación de la información

Nociones de probabilidad
Identifica los elementos de un experimento aleatorio.

34

Una **muestra** de los **resultados**

Lo que conozco. En parejas, analicen cada uno de los siguientes experimentos aleatorios y respondan lo que se pregunta en cada caso.

❖ La siguiente figura representa una ruleta. Tras girar la ruleta, ¿cuántos son los posibles resultados que la flecha señalará al detenerse? _____

_____

❖ Si el experimento consiste en lanzar al mismo tiempo dos monedas, iguales ¿cuántos y cuáles son los resultados posibles? _____

_____

❖ Observa el dado.

Al lanzar el dado, ¿cuáles son las posibilidades de que caiga un número par? _____

¿Cuántas posibilidades hay de que caiga un número menor que 5?

_____

1. Organizados en parejas, analicen la siguiente situación y respondan lo que se pregunta.

En el experimento de lanzar un dado:

❖ ¿El resultado "cae un número par" es igualmente probable que el evento: "cae un número impar"? _____ ¿Por qué? _____

_____

❖ ¿Que caiga un número mayor que 6 es un evento posible? _____
¿Por qué? _____

❖ ¿Que caiga un número menor o igual a 6 es un evento seguro? _____
¿Por qué? _____

Con ayuda de su maestro escriban a continuación qué es un evento posible y qué es un evento seguro. _____

_____

_____

2. Realiza la siguiente actividad.

En el experimento de lanzar una moneda y un dado al mismo tiempo, ¿cuáles son los posibles resultados? _____

_____

Para estar seguros de que se tienen todos los posibles resultados, completen la tabla.

Números del dado \ Caras de la moneda	Águila (A)	Sol (S)
1	(1, A)	
2		
3		
4		(4, S)
5		
6		

Números del dado y águila (A) _____

Números del dado y sol (S) _____

3. Contesta las preguntas.

En una caja se colocan lápices del mismo tamaño y forma: 2 lápices color naranja, 3 de color azul y 10 de verde. Si sacas un lápiz al azar:

¿Es un evento probable o imposible sacar un lápiz de color naranja? _____ ¿Por qué? _____

¿Es un evento probable o imposible sacar un lápiz de color morado? _____ ¿Por qué? _____

¿Sacar un lápiz de color que no sea negro es un evento seguro? _____ ¿Por qué? _____

RETO

En una bolsa hay 10 paletas de limón, 8 de piña, 4 de frambuesa y 2 de naranja, todas de la misma forma y tamaño. Si se introduce la mano para sacar una paleta, ¿qué sabor es más probable que salga?
_____

¿Cuál es el espacio muestral de este experimento? _____
_____
_____
_____

Completa las frases tomando en cuenta la información anterior.
Sacar una paleta de cajeta de la bolsa es un evento _____
Es _____ obtener una paleta de piña.
Es _____ sacar una paleta que no sea de uva.

Integro lo aprendido

Ahora aplicarás los conocimientos construidos durante el bloque. Resuelve los problemas siguientes.

❖ José y Miguel son hermanos. Al jugar con algunas tarjetas formaron el siguiente número.

> **1 0 5 8 9 2**

¿Cómo se lee este número? _____

_____

Durante el juego, José le pidió a Miguel que formara el número novecientos nueve mil doscientos treinta y ocho. ¿Cómo se escribe este número? _____

En un libro antiguo, Miguel vio el siguiente texto: "Este libro se imprimió el año MDCCXLIX". Transcribe ese año en números arábigos. _____

❖ Con las mismas tarjetas, los hermanos decidieron formar algunas fracciones.
Une con una línea las fracciones equivalentes.

❖ José quiere ubicar el número 5.6 en la recta numérica, ayúdalo a hacerlo.

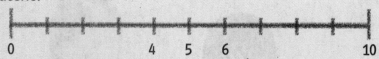

0   4   5   6   10

❖ Miguel colocó en una balanza $\frac{1}{2}$ kg de frijol, $\frac{3}{4}$ kg de arroz y $\frac{5}{8}$ kg de huevo. ¿Cuál será la lectura de la balanza? _____

❖ José y Miguel juntaron sus ahorros y en total reunieron $500.00. Decidieron entonces gastar cada mes 10% del dinero. ¿Cuánto tendrán después de 2 meses? _____

❖ En su escuela las bancas tienen forma de trapecio, con las siguientes medidas.

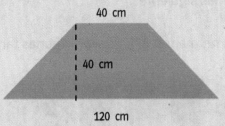

40 cm

40 cm

120 cm

¿Cuál es el área de la banca de Miguel? _____

❖ Sus abuelos son originarios de Michoacán. La extensión territorial de ese estado es de 58 585 km². ¿A cuántos m² equivale esta cantidad?
_____

❖ Además, los abuelos son dueños de una parcela en la que siembran maíz y frijol. La extensión de este terreno es de 2.5 ha. ¿A cuántos m² equivale el área de este terreno? _____

❖ Al final del día, José y Miguel decidieron jugar con un dado y una moneda. Gana José si cae un número par en el dado y sol en la moneda. Gana Miguel si cae un número mayor que 3 y águila en la moneda. ¿Quién tiene mayor probabilidad de ganar? _____

Explica tu respuesta. _____
_____
_____
_____

A continuación resolverás problemas en los que aplicarás los conocimientos aprendidos durante el bloque.

Instrucciones. Encierra la letra que corresponda a la respuesta correcta.

1. ¿Cuál es el número doscientos un mil uno?

   a) 200 101   b) 201 011   c) 201 001   d) 210 001

2. El boleto premiado de una rifa fue el 303 203. ¿Cómo se lee este número?

   a) Treinta mil doscientos tres

   b) Trescientos tres mil doscientos tres

   c) Trescientos treinta mil veintitrés

   d) Treinta mil trescientos

3. Un libro fue impreso en MDCCCXLIX. ¿En qué año fue impreso?

   a) 1 849   b) 1 779   c) 1 871   d) 1 869

4. ¿Cuál recipiente contiene medio kilogramo de crema?

   a)   b)   c)   d)

$\frac{2}{3}$ kg $\frac{5}{10}$ kg $\frac{5}{4}$ kg $\frac{4}{2}$ kg

5. Este número es mayor que 1.1, pero menor que 1.2:

   a) 1.15   b) 1.02   c) 1.96   d) 1.3

6. Juan colocó en una bolsa los siguientes productos: $\frac{3}{4}$ kg de crema, $\frac{1}{2}$ kg de carne, $\frac{3}{8}$ kg de arroz. ¿Cuál es el peso de la bolsa?

   a) $\frac{5}{14}$ kg   b) $\frac{3}{8}$ kg   c) $\frac{4}{6}$ kg   d) $\frac{13}{8}$ kg

7. ¿Cuál triángulo tiene trazada correctamente la altura?

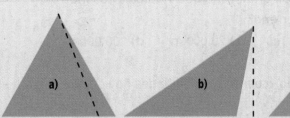
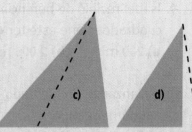

a)   b)   c)   d)

8. Pablo va a sembrar maíz en un terreno con las siguientes medidas.

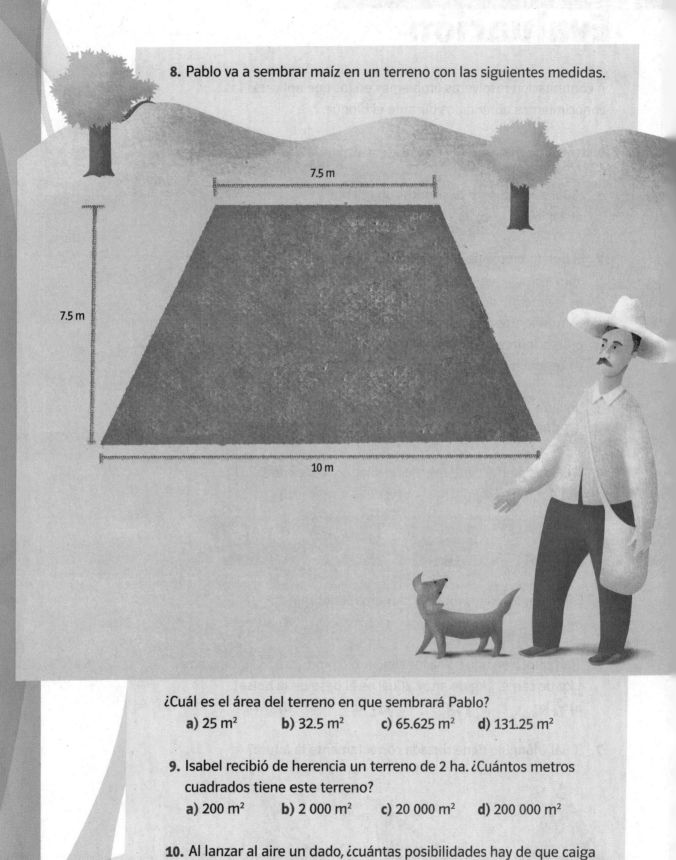

¿Cuál es el área del terreno en que sembrará Pablo?

a) 25 m²   **b)** 32.5 m²   **c)** 65.625 m²   **d)** 131.25 m²

9. Isabel recibió de herencia un terreno de 2 ha. ¿Cuántos metros cuadrados tiene este terreno?

a) 200 m²   **b)** 2 000 m²   **c)** 20 000 m²   **d)** 200 000 m²

10. Al lanzar al aire un dado, ¿cuántas posibilidades hay de que caiga un número impar?

a) 1   **b)** 2   **c)** 3   **d)** 4

Autoevaluación

En las casillas correspondientes, marca con una paloma ✔ lo que mejor refleje lo que piensas.

Contenidos procedimentales	Siempre lo hago	Lo hago a veces	Difícilmente lo hago
Resuelvo problemas usando fracciones.			
Resuelvo problemas que implican el cálculo del área de figuras geométricas, usando medidas del Sistema Métrico Decimal o medidas agrarias.			
Anticipo los resultados posibles en experimentos aleatorios sencillos.			
Resuelvo problemas que involucran porcentajes.			

Contenidos actitudinales	Siempre lo hago	Lo hago a veces	Difícilmente lo hago
Escucho con respeto las opiniones de mis compañeros.			
Me gusta trabajar en equipo.			
Respeto las reglas del grupo.			
Cuando trabajo en equipo, aprendo de mis compañeros y efectúo mejor las cosas que si las llevo a cabo individualmente.			

Bloque IV

Aprendizajes esperados

- Resuelve problemas que implican la búsqueda de divisores de un número.
- Resuelve problemas que suponen multiplicar números fraccionarios y decimales por números naturales.
- Resuelve problemas aditivos con números fraccionarios y decimales que implican el uso de recursos de cálculo mental.
- Define y clasifica prismas y pirámides, y comunica sus características.
- Comunica la ubicación de objetos, utilizando como sistema de referencia una cuadrícula.
- Interpreta y construye gráficas de barras.

Significado y uso de los números

Números naturales
Conoce las reglas de funcionamiento
de sistemas de numeración antiguos, posicionales y no posicionales.

35

¿Números **egipcios** o **chinos?**

Lo que conozco. Escribe el valor de los siguientes números romanos

I = _____   V = _____   X = _____   C = _____
D = _____   M = _____
IV = _____   VI = _____   XC = _____   CX = _____

❖ Escribe una regla para la formación de números romanos. _____
_____

❖ Compara la regla que escribiste con la de otros compañeros.
❖ ¿Cuántas reglas diferentes encontraste? _____
_____

1. En parejas, lean la información y realicen lo que se indica.

Los sistemas de numeración son instrumentos útiles para expresar
números. Cada sistema está compuesto por cifras que
se combinan empleando reglas específicas.

Sistema de numeración egipcio

Éste es uno de los sistemas de numeración más antiguos. Las cifras
se representaban con figuras de personas, animales u objetos. A esas
figuras también se les llama jeroglíficos. Por ejemplo, el número 235 lo
escribían así:

$$99\cap\cap\cap||||| $$

❖ Anoten los números que faltan en la siguiente tabla; algunos están
escritos con el sistema egipcio y otros con el sistema decimal. Luego,
respondan lo que se pregunta.

9∧||	=	112		=	90	ſſ|| =	20 002
9£££9	=	3 200		=	425	∧∧9 =	120
ⵣ ⚲	=	1 100 000	ⵣⵣ∧ =	2 000 010		=	11 000
|||∧∧	=		ſⵣ9 =		⚲⚲9 =		200 100

❖ ¿Cuál es el valor de cada signo usado por los egipcios? Anótenlo en la siguiente tabla.

ꟼ	∧	I	⌀	⚥	⌐	⌁

❖ Para expresar el número 99 con el sistema de numeración egipcio, se requieren 18 signos. El mismo número 99 representado con el sistema decimal solamente emplea dos signos. ¿A qué se debe esta diferencia?
_____
_____
_____

❖ En el sistema decimal las expresiones 21 y 12 representan diferentes números. En el sistema egipcio las expresiones I∧∧ y ∧∧I representan el mismo número, es decir, ambas corresponden al número 21. ¿A qué se debe esta diferencia? _____
_____
_____

❖ ¿Qué números se formarían al escribir nueve veces cada uno de los signos que hay en la tabla anterior? Por ejemplo:
IIIIIIIII = _____
Termina el ejercicio en tu cuaderno.

❖ Escribe con números egipcios los siguientes números arábigos:
811 _____
1 492 _____
5 203 _____
56 009 _____
201 909 _____

❖ Investiguen en el sistema de numeración egipcio, ¿cuál es la cantidad máxima de veces que se puede usar un signo para escribir un número? _____

❖ Roberto escribió el 31 en el sistema de numeración egipcio de la siguiente manera: ∧∧IIIIIIIIIII. ¿Por qué es incorrecta? _____
_____

❖ ¿Cuál es la forma correcta? _____

❖ Usa el sistema decimal para expresar las siguientes cantidades:
∧II∧ _____
∧∧II _____
I∧I∧ _____

El sistema de numeración egipcio no es posicional, pues el valor de todos los signos o jeroglíficos se suma. Cada uno de éstos es una potencia de 10 y puede aparecer hasta 9 veces para formar un número. Se pueden escribir en cualquier orden, ya que no es la posición de los signos la que indica el número del cual se trata, sino la suma de aquéllos.

Sistema de numeración chino

Otro sistema de numeración antiguo es el chino. Éste disponía de 13 cifras para representar números. La representación puede hacerse de manera vertical, de arriba hacia abajo, como se aprecia en los siguientes ejemplos:

18	27	235	3 749	4 689	15 612	35 428
一十八	二十七	二百三十五	三千七百四十九	四千六百八十九	一万五千六百一十二	三万五千四百二十八

2. Reúnanse con un compañero y, con base en los ejemplos anteriores, escriban en la tabla el valor de cada una de las cifras del sistema numérico chino.

一	二	三	四	五	六	七	八	九	十	百	千	万

El sistema de numeración chino también se puede escribir de manera horizontal de izquierda a derecha.

Anoten sobre las líneas qué número está representado en cada caso.

a) 二百三十五

_____

b) 四万六千九十八

_____

c) 三百

_____

d) 四千九百六

_____

e) 八十九

_____

❖ Escribe las cantidades de la tabla en el sistema de numeración chino.

309	1 297	5 987	21 012	379 086

Contesten las siguientes preguntas.

❖ ¿Cómo se representa el número 222 en el sistema de numeración chino? _____

❖ ¿Cuál de los siguientes números es mayor: 三十 y 三千? _____

❖ En el sistema de numeración chino, ¿es importante la posición que ocupan los símbolos? _____ ¿Por qué? _____
_____

❖ Los números: 五百三十五 y 535 representan la misma cantidad. ¿Qué tienen en común el sistema de numeración chino y el sistema decimal que utilizamos? _____
_____
_____

El sistema de numeración chino es posicional, es decir, el orden de los símbolos sí es importante porque determina la cantidad que quiere expresarse. Se basa en el principio aditivo-multiplicativo. Se compone de nueve signos que representan los números del 1 al 9, y cuatro más que representan las potencias de 10, como: 10, 100, 1 000 y 10 000. Los números en este sistema se pueden colocar de manera horizontal o vertical.
Para formar el número 3 000, se coloca el signo del 3 y en seguida el del 1 000.

三千 o también 三
千

❖ ¿Cuáles son las operaciones que intervienen al representar números en el sistema chino? _____

_____

❖ Como se he mencionado, el sistema numérico chino dispone de una cifra para cada uno de los números del 1 al 9 y, además, cuenta con cuatro cifras para representar algunas potencias de 10. ¿Cuáles son esas potencias de 10? _____

_____

_____

❖ ¿En cuáles sistemas numéricos (egipcio, chino o decimal) sí es necesario escribir el cero? _____ ¿Por qué? _____

_____

_____

Anoten sí o no en cada una de las casillas vacías de la siguiente tabla.

Sistema numérico	¿Es posicional?	¿Tiene una cifra para el cero?	¿Se apoya en potencias de 10?	¿Permite representar cualquier número?
Egipcio				
Chino				
Decimal				

3. En equipos, realicen lo que se pide a continuación.

En cada sucesión, anoten los números que corresponden.

❖ 3, 8, 13, _____, 23, _____, _____, _____

❖ ΙΙ, ΙΙΙΙΙΙΙ, ∧ΙΙ, _____, ∧∧ΙΙ, _____, _____

❖ 一 二　　　四　　　八
　十, 十, _____十, _____十

Escriban el antecesor y el sucesor de los números siguientes.

❖ _____, 1050, _____

❖ _____, 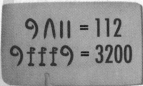, _____

❖ _____, 二百三十五, _____

En cada fila, ordenen los números de menor a mayor, colocando en cada caso los números 1, 2 y 3, según corresponda.

❖ 102   ___   1 027   ___   99   ___

❖ ⚡   ___   ∧∧∧∧∧   ___   9| ___

❖ 二千三十五 ___   四百九十六 ___   四千九十五 ___

Significado y uso de los números

Números decimales
Resuelve problemas que involucren el valor
posicional en la notación decimal.

36

Cambia decimales, cambia su valor

Lo que conozco. Individualmente o por parejas, realicen la actividad.

En los siguientes números cambien una cifra por otra, como se indica en
cada caso.

Efectúen la operación necesaria para obtener el nuevo número. Pueden
escribir en la calculadora, por ejemplo, el número 1.25 y ejecutar una
operación para que en la pantalla se muestre un 2 en lugar del 1. Anoten
sobre la línea la operación que realizaron. Sigan el ejemplo.

1.25   **4.258**

1.25 + 1 = 2.25
2 en lugar de 1   3 en lugar de 5

7.025   **5.024**

1 en lugar de 2   3 en lugar de 0

0.128   **3.794**

3 en lugar de 2 y 6 en lugar de 8   2 en lugar de 7 y 0 en lugar de 4

Con la calculadora, verifiquen que la operación que anotaron sobre cada
línea produce efectivamente el cambio esperado. Si no ocurre, averigüen
cuál fue el error y coméntenlo con todo el grupo.

Dato interesante

Si efectúas la operación 6 + 9 x 8 en una calculadora no
científica te dará como resultado 120, pero si la llevas a cabo
con una calculadora científica, que respete el orden de las
operaciones, el resultado será 78.

1. En parejas, lleven a cabo las actividades.

Algunos números decimales pueden escribirse de dos maneras como fracción decimal, o bien en notación decimal. Ejemplos:

$$\frac{2}{10} = 0.2 \qquad\qquad \frac{5}{100} = 0.05$$

Descompongan cada número en décimos, centésimos y milésimos, como se muestra en el ejemplo.

$3.748 = 3 + 0.7 + 0.04 + 0.008$ $3 + \frac{748}{1000} = 3 + \frac{7}{10} + \frac{4}{100} + \frac{8}{1000}$	$0.109 =$
$3.075 =$	$4.650 =$
$2.405 =$	$0.125 =$

Escriban en notación decimal los resultados de las operaciones. Observa el ejemplo.

- $\frac{4}{10} + \frac{6}{100} + \frac{8}{1000} = \underline{\ 0.468\ }$
- $\frac{3}{10} + \frac{7}{100} =$
- $\frac{7}{10} + \frac{4}{1000} =$
- $2 + \frac{5}{10} + \frac{6}{100} =$
- $\frac{2}{100} + \frac{9}{1000} =$

Completen la operación para obtener el resultado indicado en cada caso.

- $3.47 + \underline{\ 0.03\ } = 3.50$
- $7.02 - \underline{\hspace{1cm}} = 7$
- $5.87 + \underline{\hspace{1cm}} = 5.97$

- $4.25 + \underline{\hspace{1cm}} = 7.56$
- $6.48 - \underline{\hspace{1cm}} = 5.99$
- $1.05 + \underline{\hspace{1cm}} = 3.48$

- $2.91 - \underline{\hspace{1cm}} = 2.59$
- $6.21 - \underline{\hspace{1cm}} = 2$
- $3.74 + \underline{\hspace{1cm}} = 6.81$

2. En parejas, realicen las actividades.

Ordena los números de menor a mayor:
1.108, 1.098, 1.1, 1.09, 1.2, 1.22, 1.206, 1.15, 1.149, 1.05, 0.998, 1.25, 1.28, 1.3 y 1.110.

1.° _____ , 2.° _____ , 3.° _____ , 4.° _____ ,
5.° _____ , 5.° _____ , 6.° _____ , 7.° _____ ,
8.° _____ , 9.° _____ , 10.° _____ , 11.° _____ ,
12.° _____ , 13.° _____ , 14.° _____ , y 15.° _____ .

❖ Si sumas 3 centésimos a cada uno de los números, ¿seguirán
   manteniendo el mismo orden? _____ ¿Porqué? _____
   _____

Verifiquen sus respuestas.

❖ ¿Por qué 1.33 es mayor que 1.113? _____
   _____

❖ ¿Por qué 1.25 es mayor que 1.111? _____
   _____

Escriban con número las siguientes cantidades:

❖ Tres enteros nueve milésimos _____
❖ Dos enteros ciento cincuenta milésimos _____
❖ Dos enteros quince centésimos _____
❖ Veinticinco milésimos _____
❖ Un entero doce décimos _____
❖ Cuatrocientos cincuenta milésimos _____
❖ Cuarenta y cinco décimos _____

Verifiquen sus respuestas.

RETO

Colorea los 5 recuadros cuya suma sea 0.5

0.612	0.29	0.509	0.25
1.5	0.0023	0.0912	0.0948
0.055	0.1	0.02170	0.0002

Escribe las dos soluciones. _____
_____

Problemas multiplicativos
Aplica la búsqueda de divisores de un número
en la resolución de problemas.

37
Que **no sobren** al **dividir**

Lo que conozco. En parejas, resuelvan los problemas siguientes.

❖ En un curso de natación se inscribieron 120 alumnos. Se formarán grupos con el mismo número de estudiantes. ¿Cuántos estudiantes habría en cada grupo si se formaran cinco y no sobrara ningún alumno? _____
¿Y si se formaran tres? _____
¿Y si se formaran seis? _____

❖ Raquel tiene 60 libros y los quiere guardar en paquetes de manera tal que contengan el mismo número de libros, sin que sobre ninguno. ¿De cuántas formas puede hacerlo, si quiere colocar en cada paquete más de 3 libros y menos de 12? _____

❖ María tiene 24 patos en su granja. ¿De cuántas maneras puede colocarlos en jaulas para que haya el mismo número de patos en cada una y que no sobre ninguno? _____

❖ Fernanda horneó 60 galletas y para venderlas quiere guardarlas en paquetes, todos con la misma cantidad de galletas. ¿Cuántas opciones distintas tiene para empaquetarlas? _____

1. En equipos, resuelvan los problemas siguientes.

❖ Una artesana quiere elaborar collares iguales con las 36 cuentas
que tiene y no desea que le sobre ninguna. ¿Cuántos collares puede
elaborar y cuántas cuentas llevará cada collar? Organicen los datos en
la tabla.

Número de collares	Cuentas por collar	Total de cuentas
1	36	36
2		36

❖ ¿Cuántos rectángulos diferentes se pueden dibujar de modo que sus
lados midan cantidades enteras en centímetros y su área sea igual a
$60\ cm^2$? ¿Qué dimensiones tiene cada uno de ellos? Organicen los
datos en la tabla.

Base en cm	Altura en cm	Área en cm^2
1	60	60
2		60
3		60
		60
		60
		60

❖ Juan quiere construir un corral rectangular de $48\ m^2$. ¿Cuánto podrían
medir el largo y el ancho? Completen la tabla.

Rectángulo de $48\ m^2$						
Ancho					4 m	
Largo					12 m	

Un número natural es **divisor** de otro número cuando al dividir ese otro número entre el primero, el residuo es cero.

Por ejemplo, 2 es divisor de 6; 5 es divisor de 15, pero 3 no es divisor de 8 porque al efectuar la división el residuo no es igual a cero.

Los divisores de 20 son 1, 2, 4, 5, 10 y 20.

Con excepción del 1, los demás números naturales tienen dos o más divisores.

Colorea los divisores de los siguientes números.

| 8 | 1 | 2 | 3 | 4 | 5 | 6 | 7 | 8 | 9 | 10 | 11 | 12 | 13 | 14 | 15 | 16 | 17 | 18 | 19 | 20 |

| 9 | 1 | 2 | 3 | 4 | 5 | 6 | 7 | 8 | 9 | 10 | 11 | 12 | 13 | 14 | 15 | 16 | 17 | 18 | 19 | 20 |

| 15 | 1 | 2 | 3 | 4 | 5 | 6 | 7 | 8 | 9 | 10 | 11 | 12 | 13 | 14 | 15 | 16 | 17 | 18 | 19 | 20 |

| 18 | 1 | 2 | 3 | 4 | 5 | 6 | 7 | 8 | 9 | 10 | 11 | 12 | 13 | 14 | 15 | 16 | 17 | 18 | 19 | 20 |

| 20 | 1 | 2 | 3 | 4 | 5 | 6 | 7 | 8 | 9 | 10 | 11 | 12 | 13 | 14 | 15 | 16 | 17 | 18 | 19 | 20 |

RETO

En una tienda se quiere empacar 48 jabones en cajas. ¿Cuántas cajas con el mismo número de jabones se pueden llenar? _____

_____

_____

_____

Significado y uso de las operaciones

Problemas multiplicativos
Aplica la multiplicación de números fraccionarios
y decimales por naturales en la resolución de problemas.

38

Multiplicar **fracciones** y **decimales**

Lo que conozco. Une con una línea los valores equivalentes.

$\frac{3}{4}$ de 160	110
$\frac{5}{6}$ de 222	185
25% de 100	110
0.5 de 220	25
0.500 de 220	120

Escribe el procedimiento que usaste para encontrar las respuestas. _____
_____
_____

1. En parejas, resuelvan el siguiente problema.

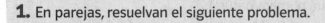

❖ Juan vende quesos. El lunes vendió 3 quesos de $\frac{1}{5}$ kg y 7 quesos de $\frac{1}{4}$ kg. ¿Cuántos kilogramos de queso vendió en total? _____

❖ El martes vendió 7 quesos de $\frac{1}{4}$ kg cada uno. ¿Cuántos kilogramos de queso vendió? _____

❖ El jueves vendió 9 quesos de $\frac{1}{2}$ kg y 9 de $\frac{3}{4}$ kg. ¿Cuántos kilogramos vendió ese día?_____

❖ ¿Qué hicieron para contestar las preguntas anteriores? _____
_____

Con apoyo de su profesor, verifiquen sus resultados.

❖ ¿Cómo se multiplica una fracción por un número natural? _____
_____

Cuando se multiplica una fracción por cualquier número natural,
el resultado se puede obtener multiplicando el número natural
por el numerador de la fracción. Por ejemplo, la multiplicación $\frac{3}{8} \times 5$,
se realiza así:

$$\frac{3 \times 5}{8} = \frac{15}{8} \qquad \text{El resultado es} \qquad \frac{15}{8}$$

2. En equipos, resuelvan los problemas siguientes.

❖ Una tubería está formada por 7 tramos de 0.75 metros, ¿de qué largo es la tubería? _____

❖ Claudia compró en la papelería 12 frascos de pegamento. Cada uno le costó $4.80. ¿Cuánto pagó en total? _____

❖ Sonia compró 5 paquetes de queso panela de 0.375 kg cada uno y 6 paquetes de jamón de 0.250 kg. ¿Cuál es el peso de todo lo que compró? _____

❖ En la papelería, José solicitó 10 fotocopias a color tamaño carta a $3.75 cada una y 100 fotocopias blanco y negro tamaño carta a $0.15 cada una. ¿Cuánto pagó en total por las fotocopias? _____
_____

❖ Expliquen qué hicieron para resolver los problemas anteriores. _____
_____
_____
_____
_____

❖ Verifiquen sus respuestas. Escriban el proceso para multiplicar una fracción decimal por un número natural.
_____
_____
_____
_____

3. Realiza las multiplicaciones siguientes.

$$\begin{array}{r} 0.78 \\ \times\ 9 \\ \hline \end{array} \qquad \begin{array}{r} 0.60 \\ \times\ 7 \\ \hline \end{array} \qquad \begin{array}{r} 8.45 \\ \times\ 9 \\ \hline \end{array}$$

$$\begin{array}{r} 3.26 \\ \times\ 14 \\ \hline \end{array} \qquad \begin{array}{r} 3.75 \\ \times\ 23 \\ \hline \end{array} \qquad \begin{array}{r} 0.85 \\ \times\ 35 \\ \hline \end{array}$$

$$\begin{array}{r} 0.867 \\ \times\ 8 \\ \hline \end{array} \qquad \begin{array}{r} 0.90 \\ \times\ 1\,27 \\ \hline \end{array} \qquad \begin{array}{r} 0.237 \\ \times\ 13 \\ \hline \end{array}$$

4. En equipos, respondan las preguntas.

❖ ¿Cuántas veces hay que sumar 0.1 para obtener 1? _____

❖ ¿Cuántas veces hay que sumar 0.01 para obtener 1? _____

❖ ¿Cuántas veces hay que sumar 3.8 para obtener 38? _____

5. Pulsen el menor número posible de teclas en su calculadora para efectuar las operaciones.

❖ Si aparece en la pantalla 0.4, ¿cuáles teclas se deben oprimir para obtener 4? _____

❖ Si aparece 3.5 en la pantalla, ¿cuáles teclas se deben oprimir para obtener 35? _____

❖ Si aparece 1.05 en la pantalla, ¿cuáles teclas se deben oprimir para obtener 105? _____

❖ Si aparece 4.026 en la pantalla, ¿cuáles teclas se deben oprimir para obtener 402.6? _____

El procedimiento para multiplicar un número decimal por uno natural es el mismo que cuando se multiplican dos números naturales.

En el producto, el punto decimal se coloca de acuerdo con la cantidad de cifras decimales que tiene el número decimal.

Por ejemplo:

$$\begin{array}{r} 3.6\,5 \\ \times \quad 8 \\ \hline 29.2\,0 \end{array}$$

Dato interesante

Cuando multiplicas dos números naturales diferentes de cero y de uno, el producto es mayor que cualquiera de los factores; si los divides, el resultado será menor. En cambio, si multiplicas un número natural por una fracción propia, el resultado será menor y si lo divides entre una fracción propia, el resultado será mayor.

RETO

En la papelería Guadalajara, Víctor solicitó 70 000 copias para promover un producto. ¿Cuánto deberá pagar por todas las copias? _____

6. En la papelería Guadalajara se necesita una tabla para calcular la cantidad de dinero que se debe pagar por 10, 100, 1 000 y 10 000 copias. Completa las tablas siguientes. Puedes usar tu calculadora.

Copias por menudeo			
Tipo de copia	Precio	10	100
Carta	0.25		
Oficio	0.5		
Color	6.25		

Copias por mayoreo			
Tipo de copia	Precio	1 000	10 000
Carta	0.15		
Oficio	0.35		
Color	3.35		

❖ Sin hacer uso de la calculadora, ¿cómo se puede encontrar el resultado de multiplicar un número decimal por 10, 100 o 1 000? _____
_____

Consulta en...

Ingresen a la siguiente dirección
http://www.isftic.mepsyd.es/w3/recursos/primaria/matematicas/
decimales/menuu6.html

Entra a la sección "Calculadora" para practicar la multiplicación de números decimales.

Estimación y cálculo mental

Números decimales y fraccionarios
Aplica el cálculo mental con números fraccionarios y decimales.

39

Fracciones, decimales, cálculos y más cálculos

Lo que conozco. Realiza lo que se indica en cada caso.

Resuelve mentalmente las siguientes operaciones.
Escribe en las tablas los resultados y los procedimientos que utilizaste.

Cálculo	Resultado	Procedimiento
El doble de $\frac{1}{3}$		
El triple de $\frac{2}{7}$		
La mitad de $\frac{4}{5}$		
La mitad de $\frac{8}{6}$		
$\frac{1}{2} + \frac{1}{4}$		
$\frac{1}{2} + \frac{3}{4}$		
$\frac{2}{3} + 1$		
$\frac{2}{5} + \frac{3}{5}$		
$1 - \frac{3}{4}$		

¿Cómo harías para encontrar la mitad de $\frac{5}{6}$? _____

Cálculo	Resultado	Procedimiento
El doble de 0.25		
El doble de 0.5		
La mitad de 2.6		
La mitad de 2.7		
0.25 + 0.75		
0.25 + 9.75		
0.20 + 0.30		
0.4 + 0.6		
1 − 0.2		

1. En parejas, unan con líneas de diferentes colores un número de la primera fila con uno de la segunda para obtener el resultado que se indica en cada caso.

❖ El resultado de su suma sea 1.

.725	.43	.7	.93	.80	.572	.5	.825	.250	.62

.750	.28	.20	.428	.175	.3	.57	.275	.5	.07

❖ El resultado de su suma sea 10.

2.75	6.35	4.20	3.50	1.40	8.80	5.10	9.25	3.70	7.30

4.90	1.20	7.25	2.70	3.65	6.30	6.50	8.60	5.80	.75

❖ El número 1 menos uno de ellos sea igual al otro, observa el ejemplo:

.40	.65	.80	.10	.70	.25	.50	.30	.90	.20

.10	.50	.80	.60	.35	.20	.90	.75	.30	.70

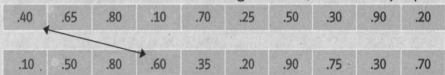

❖ El número 10 menos uno de ellos sea igual al otro, por ejemplo:

8.70	5.20	7.90	1.50	2.10	3.25	4.70	9.75	6.30	2.40

5.30	2.10	7.60	6.75	1.30	.25	3.70	4.80	8.50	7.90

Resuelvan los siguientes ejercicios y escribe sobre la línea la respuesta. ¿Entre qué números enteros está...?

❖ El triple de $\frac{2}{3}$ _____

❖ El doble de $\frac{15}{6}$ _____

❖ La mitad de $\frac{7}{6}$ _____

❖ La suma de 7 + 1.2 + 0.9 _____

❖ La diferencia de 6.08 − 3.98 _____

❖ La suma de $\frac{5}{6}$ y $\frac{13}{10}$ _____

Cuerpos
Clasifica y define prismas,
pirámides y sus alturas.

40

Cómo **se forma** un prisma o una **pirámide**

Lo que conozco. Escribe el nombre de los siguientes paralelogramos.

_____   _____   _____   _____

Escribe una característica de los paralelogramos. _____
Compara tu respuesta con la de otro compañero y, en caso de que sean
diferentes, comprueben si ambas son correctas.

1. Corta una hoja tamaño carta en cuatro partes iguales. Usarás tres de
ellas para obtener tres distintas figuras, como se muestra en los incisos.

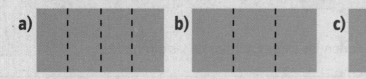

a) Divide y marca
el trozo de papel
en cuatro partes
iguales.

b) Divide y marca en
tres partes iguales.

c) Divide y marca en
seis partes iguales.

Finalmente, pega los extremos de las hojas para obtener estructuras
como las siguientes. A éstas sólo les faltan las tapas (bases) para que
sean prismas.

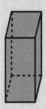  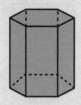

❖ ¿Qué forma geométrica tienen las caras de las estructuras anteriores?

_____

❖ ¿Qué forma deben tener las bases para formar completamente el
primer prisma? _____ ¿Y para formar el segundo?
_____ ¿Y el tercero? _____

2. Observa los cuerpos que se presentan en la siguiente imagen.

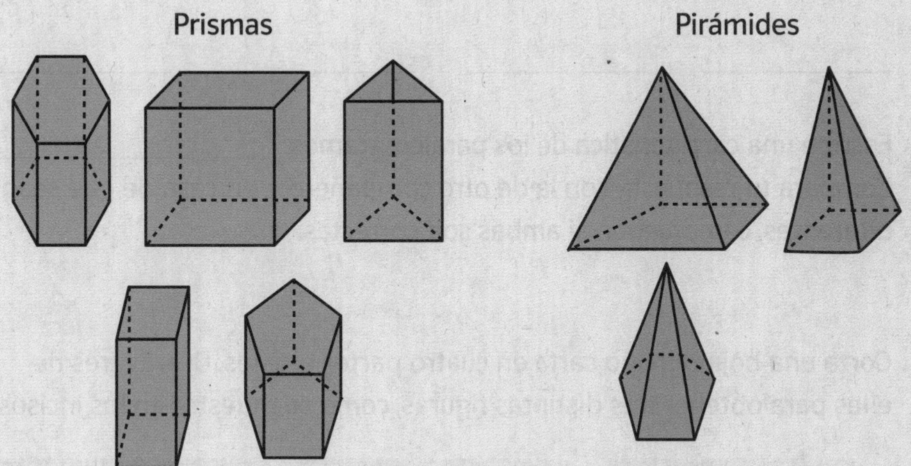

Prismas   Pirámides

❖ ¿Qué forma tienen las caras laterales de las pirámides? _____

_____

❖ ¿Cuántas bases tienen los prismas? _____

❖ ¿Qué forma tienen las bases de los prismas? _____

_____

❖ ¿Qué forma tienen las caras laterales de un prisma? _____

_____

❖ ¿Cuántas bases tienen las pirámides? _____

❖ Escribe dos diferencias que encuentres entre un prisma y una
pirámide. _____

_____

3. Observa los siguientes cuerpos geométricos. Lee cada enunciado y escribe la letra V si éste es verdadero; de lo contrario, escribe la letra F.

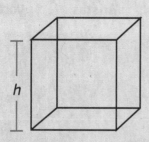 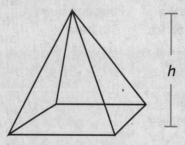

❖ El prisma tiene 4 caras laterales. _____

❖ La pirámide tiene 4 caras laterales. _____

❖ El prisma tiene 2 caras iguales opuestas y paralelas. _____

❖ La pirámide tiene 2 caras iguales opuestas y paralelas. _____

❖ La altura de un prisma es una recta que une sus caras laterales. _____

❖ La altura de una pirámide es la distancia perpendicular de la base a su cúspide (vértice). _____

❖ En la pirámide la altura va desde la cúspide a cualquier punto de la base. _____

❖ La altura de un prisma es la distancia más corta que hay entre las bases. _____

4. En equipos, lleven a cabo las actividades.

❖ Escriban sobre la línea el nombre de cada uno de los cuerpos geométricos (poliedros).

 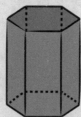 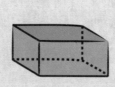 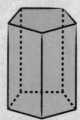

_____ _____ _____ _____

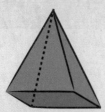 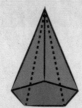 

_____ _____ _____ _____

❖ Completen la siguiente tabla.

Cuerpo geométrico	Polígono de la base	Número de caras laterales	Aristas	Vértices
Prisma triangular				6
Pirámide cuadrangular			8	
Prisma _____	Rectángulo			
Pirámide _____		6		
Prisma hexagonal				
Pirámide _____	Pentágono			
Prisma _____		5		
Pirámide _____			6	

❖ Escriban "sí" o "no", según corresponda.

Características del cuerpo geométrico	Prisma	Pirámide
Tiene una base		
Tiene dos bases		
Las bases son polígonos		
Las bases son círculos		
Las caras laterales son triángulos		
Las caras laterales son rectángulos		

El **poliedro** es un cuerpo geométrico tridimensional formado por caras poligonales, de manera que la intersección de dos caras forma una arista y la intersección de tres o más caras, un vértice.

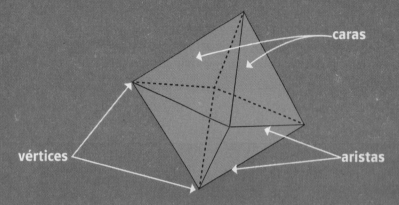

La **pirámide** es un poliedro formado por una base poligonal y diversas caras triangulares que se cortan en un punto llamado vértice o cúspide. Su altura es la distancia más corta desde la cúspide hasta la base.

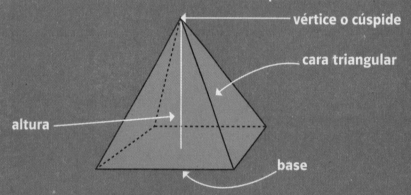

El **prisma** es un poliedro formado por dos bases poligonales iguales y cuyas caras laterales son paralelogramos. Las dos bases pertenecen a planos paralelos. Su altura es la distancia más corta entre sus bases.

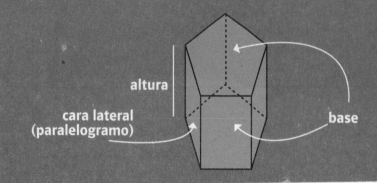

Consulta en...

Descarguen el programa Poly que se encuentra en la siguiente dirección http://www.peda.com/download/

En este programa exploren los prismas y pirámides que se incluyen, así como sus desarrollos planos. En equipos, seleccionen un prisma y una pirámide para construir el cuerpo geométrico en papel.

Dato interesante

El filósofo griego Platón consideraba los siguientes poliedros regulares como las formas geométricas más bellas y los relacionaba con los elementos: fuego, aire, agua y tierra.

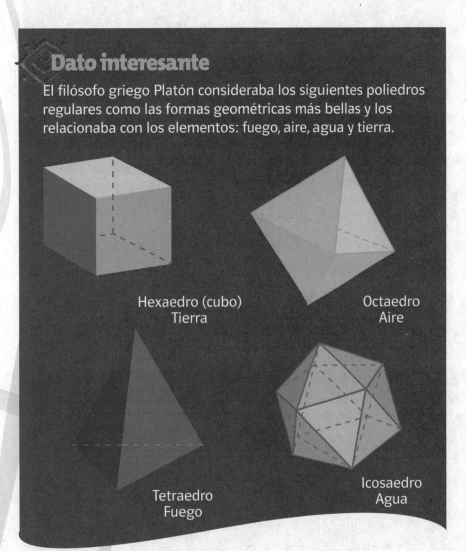

Hexaedro (cubo)
Tierra

Octaedro
Aire

Tetraedro
Fuego

Icosaedro
Agua

41

¿En **dónde** se **ubica?**

Lo que conozco. En parejas, contesten las preguntas.

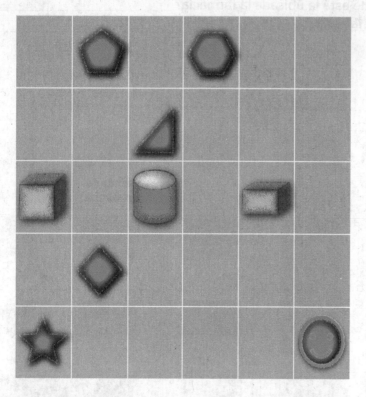

❖ ¿Cuántas filas y cuántas columnas tiene la cuadrícula? _____

❖ ¿En qué filas hay más figuras? _____

❖ ¿En dónde hay menos figuras, en las filas o en las columnas?_____

❖ ¿Qué figuras están en la tercera fila? _____

❖ ¿En qué casilla está el cubo? _____

❖ ¿En qué casilla está localizada la carita? _____

❖ En la primera columna y quinta fila, ¿qué objeto está ubicado? _____
_____

Escriban cómo pueden localizarse objetos en una cuadrícula. _____
_____
_____
_____
_____

1. Observa el plano y contesta las preguntas. Por ejemplo, el hospital está en la casilla (3, C).

❖ ¿En qué casilla está la librería? _____

❖ ¿Qué lugares están ubicados en las casillas (6, E) y (6, B)? _____
_____

❖ ¿En qué casilla está la biblioteca? _____

❖ ¿Dónde está la ubicada la farmacia? _____

❖ ¿En qué casilla está el mercado? _____

	1	2	3	4	5	6
G		Mercado				
					Tienda de artesanías	
F	Centro		Iglesia			
E					Biblioteca	Escuela
D						
C	Deportivo		Hospital			
B					Parque	
A				Librería		Farmacia

146

RETO

Escribe en la casilla correspondiente el nombre de quién la ocupa.

La siguiente cuadrícula representa una sección de un estadio de futbol. Jorge, Roberto, Jesús, Aarón y Vicente fueron a ver un partido, pero no lograron comprar todos los lugares en la misma fila. Jorge y Vicente están en la misma fila, ocupando las butacas del pasillo. Jesús está al centro, en una fila arriba de donde están Vicente y Jorge. Dos filas arriba de donde está Jesús, Roberto y Aarón están separados por tres butacas y ninguno de ellos se encuentra sentado en las butacas del pasillo.

Pasillo B

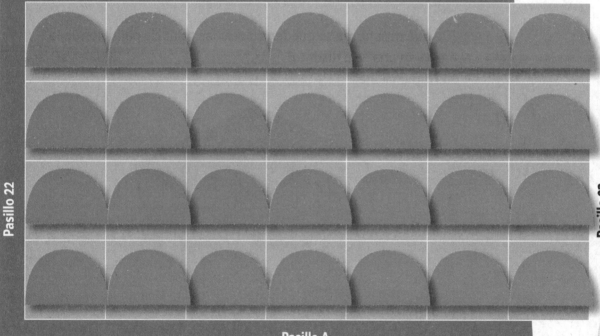

Pasillo 22

Pasillo 23

Pasillo A

42

A distintas **formas,** ¿mismo **volumen?**

Lo que conozco. Si tienes 1000 cubos, describe 3 formas diferentes de acomodarlos, indicando cuántos colocas de largo, ancho y alto en cada caso para formar cuerpos geométricos. Usa todos los cubos cada vez. _____

_____

¿Qué estrategia usaste para formar los cuerpos geométricos? _____

_____

1. En una caja de cartón caben 16 cajas de pañuelos desechables.

❖ ¿De qué otra forma se pueden colocar las cajas de pañuelos de la figura en una caja distinta? _____ ¿Cuáles serían sus dimensiones? _____

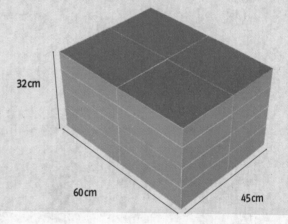

32 cm

60 cm

45 cm

2. De manera grupal, traigan un envase de plástico vacío de 600 mL, envases de medio litro de distintas formas, uno de 355 mL, dos de 1L de diferente forma y arena o tierra suficiente para llenar un envase de 1L. Además, consigan cuatro cajas de diferentes tamaños, así como latas, cajas de jugos y de cerillos. Trabajen con todo el material y contesten las preguntas.

❖ ¿Cuál de los envases de medio litro se ve más grande? _____

❖ ¿Cuál de los envases de un litro se ve más grande? _____

En parejas, llenen dos envases de medio litro con arena y luego con esa misma arena llenen un tercer envase de un litro. ¿Le cabe la misma cantidad de arena que a los dos envases? _____ ¿Afecta la forma de los envases su capacidad? _____ ¿Por qué? _____
_____

Usen el envase de 355 mL, llénenlo con arena y viertan el contenido en el envase de un litro. Háganlo todas las veces que sea necesario hasta llenar el envase de un litro. ¿Cuántas veces tuvieron que hacerlo para llenar el de un litro? _____

❖ ¿Cuántas veces pueden verter el contenido de un envase de 355 mL en el de un litro? _____

❖ ¿Cuántas veces pueden verter el contenido de un envase de 600 mL en uno de dos litros? _____

Comprueben su respuesta llenando con arena el envase de 600 mL todas las veces que sea necesario y viertan el contenido en los dos envases de un litro hasta llenarlos.

Tomen las cuatro cajas y numérenlas de tal manera que la caja más pequeña tenga el número 1 y la más grande el 4.

En su cuaderno, registren las medidas de las latas, cajas de jugo y de cerillos, y calculen cuántos de cada uno de estos objetos caben en cada una de las cuatro cajas. Escriban los resultados en la tabla.

Cajas	Cantidad de botes	Cantidad de cajas de jugos	Cantidad de cajas de cerillos
1			
2			
3			
4			

❖ ¿Cómo estimaron el número de objetos que caben en la caja más grande? _____

❖ ¿Con qué objetos tuvieron más dificultades para hacer los cálculos? _____ ¿Por qué? _____
_____

❖ Comprueben sus resultados colocando dentro de las cajas los objetos que trajeron.

❖ ¿Hay una caja donde cabe el mayor número de latas, de cajas de jugo y de cajas de cerillos?_____ ¿Por qué? _____
_____
_____

3. Resuelve el problema siguiente.

¿Cuántas cajas de 10 cm por 20 cm por 25 cm, como la de la ilustración, caben en una caja de forma cúbica de 1 m por lado? _____

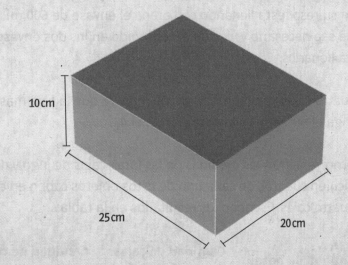

10 cm

25 cm

20 cm

Dato interesante

El mayor volumen con área fija en un prisma cuadrangular se logra cuando éste es un cubo.

Gráficos
Interpreta la información de
una gráfica de barras.

43
Represéntalo
con gráficas

Lo que conozco. En parejas, realicen las actividades siguientes.

Las gráficas representan las ventas de camisas de diferentes precios, durante dos semanas.

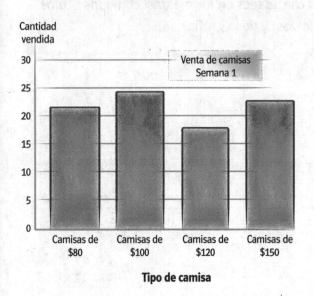

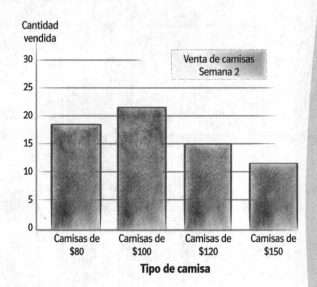

❖ ¿Cuántos precios diferentes de camisas se registran en las gráficas?
_____ ¿Cuáles son? _____

❖ En la primera semana, ¿cuáles fueron las camisas más vendidas?

_____

❖ ¿Cuántas camisas de $80.00 se vendieron en la segunda semana?

_____

❖ ¿En qué semana se vendieron más camisas? _____

❖ ¿Cuáles fueron las camisas que menos se vendieron en las dos

semanas? _____

❖ Uno de los ejes sirve para registrar el número de veces que aparece

un dato, ¿cuál es ese eje? _____

❖ ¿Cómo se llama el otro eje? _____

❖ ¿Cuáles son las ventajas de presentar información en una gráfica de

barras? _____

1. En equipos, resuelvan el problema siguiente.

Cantidad de libros leídos	1	2	3	4	5 o más
Cantidad de personas	500	100	50	50	300

En la siguiente tabla se organizaron las respuestas de una encuesta aplicada a mil estudiantes acerca de la cantidad de libros que leen en un año.

Descubran cuál de las dos gráficas siguientes corresponde a la tabla anterior. Para ello, escriban las cantidades en los ejes, así como los títulos de los ejes (personas y libros leídos) y de la gráfica.

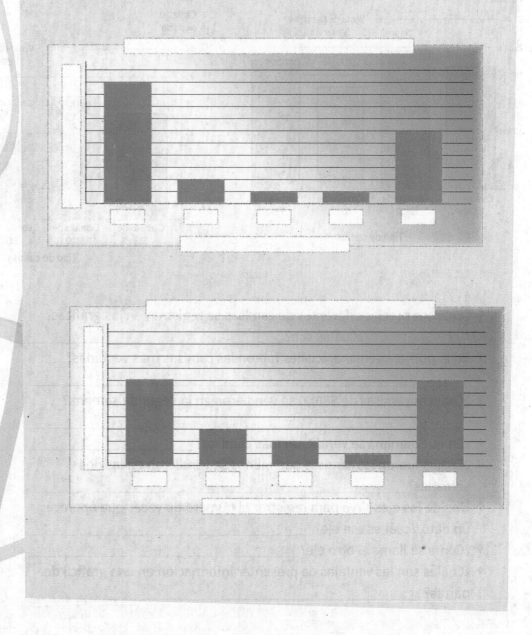

Elaboren una tabla con los datos de la gráfica que no corresponde a la tabla inicial. Después respondan lo siguiente.

❖ ¿Qué aspectos se deben considerar para elaborar una gráfica de barras? _____

_____

❖ ¿Cuáles son las ventajas de presentar la información en una gráfica?

_____

_____

2. En equipos, elaboren una gráfica de barras para representar la información de cada tabla.

a) Efectúa una encuesta en tu escuela sobre la preferencia de equipos de futbol y completa la tabla.

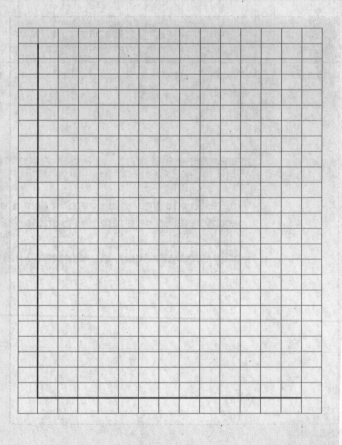

Equipo	Número de niños
Toluca	
Pachuca	
América	
Cruz Azul	
Guadalajara	
Pumas	
Otros	
Total	

b) En una tienda de ropa se lleva a cabo el control semanal de las ventas de cada tipo de mercancías. La tabla contiene información sobre dos marcas de camisa.

Cantidad de camisas vendidas en una semana					
	Lunes	Martes	Miércoles	Jueves	Viernes
1ª marca	25	40	50	20	30
2ª marca	20	30	40	30	25

En la gráfica que elaboren utilicen un color distinto para representar cada una de las marcas de camisas.

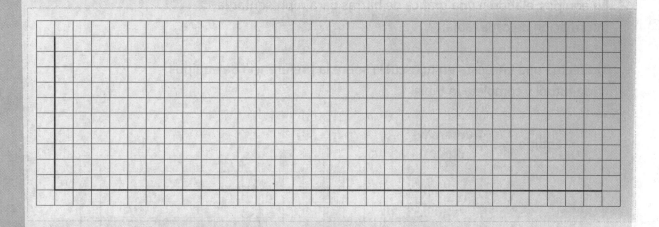

Consulta en...

Ingresen a la siguiente dirección para practicar la lectura y comprensión de diferentes gráficas.

http://www.thatquiz.org/es/practice.html?graphs

RETO

Para la tarea de Ciencias Naturales, Lourdes investigó acerca de la deforestación en una publicación de la Semarnat (Secretaría de Medio Ambiente y Recursos Naturales) titulada: *¿Y el medio ambiente? Problemas en México y el mundo* que le proporcionó su maestra, y los datos que obtuvo fueron los siguientes:

La Organización de las Naciones Unidas para la Agricultura y la Alimentación (FAO) calculó que cada año se pierden en el mundo 7.3 millones de hectáreas de bosques y selvas. Las regiones en el mundo con mayor deforestación, durante el periodo de 2000 a 2005, fueron:

América del Norte con cerca de 500 mil hectáreas.

América Central y Sudamérica con cerca de 4.5 millones de hectáreas.

África con poco más de 4 millones de hectáreas.

Asia con cerca de 3.4 millones de hectáreas.

Oceanía con poco más de 400 mil hectáreas.

❖ Elaboren una gráfica de barras que represente los datos que obtuvo Lourdes en su investigación.

❖ Investiguen cuántas hectáreas se deforestan anualmente en México.

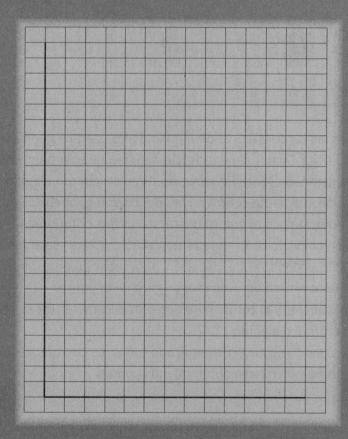

Integro lo aprendido

Ahora aplicarás los conocimientos construidos durante el bloque. Resuelve los problemas siguientes.

1. La maestra Catalina quiere formar equipos con sus 36 alumnos de forma tal que todos los equipos tengan el mismo número de integrantes y que no sobren ni falten alumnos. No quiere equipos con más de 7 integrantes.

   ¿Cuántos equipos podrá formar y de cuántos integrantes? _____

2. Observen el plano y después, en parejas, lleven a cabo la actividad.

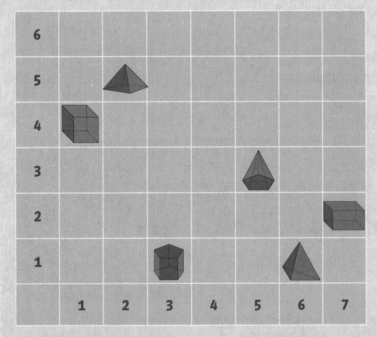

Uno de ustedes describirá las características de alguno de los cuerpos geométricos del plano, sin decir de cuál se trata. Dichas características tendrán que ser anotadas por ambos. Una vez que se hayan mencionado todas las características del cuerpo elegido, el otro compañero dirá la ubicación, mediante coordenadas, del cuerpo geométrico en cuestión. Si el cuerpo geométrico coincide con el que se describió, los dos obtendrán un punto. Si el cuerpo geométrico no coincide con el que se describió, entonces se analizarán las características dadas y las coordenadas de ubicación, para saber quién cometió el error. El compañero que no haya cometido equivocaciones ganará un punto.

Después se invertirán los papeles y el compañero que dio las características, ahora tendrá que deducir el cuerpo geométrico elegido.

La competencia concluye cuando se hayan identificado todos los cuerpos geométricos ubicados en el plano y ganará quien haya obtenido más puntos.

Evaluación

A continuación resolverás problemas en los que aplicarás los conocimientos aprendidos durante el bloque.

Instrucciones. Encierra la letra que corresponda a la respuesta correcta o completa la información que se te solicita.

1. Luis quiere empaquetar 96 jabones en cajas del mismo tamaño, ¿cuántos jabones puede haber en cada caja sin que sobren ni falten?

   a) 9 o 6   **b)** 12 o 24   **c)** 2 o 5   **d)** 15 o 28

2. Patricia quiere ir al estadio de futbol con 4 amigos. Cada boleto cuesta $60.00, pero al comprarlos por teléfono le cobraron $3.15 más por cada uno. ¿Cuánto pagó en total?

   a) $240.00   **b)** $252.60   **c)** $300.00   **d)** $315.75

3. Gerardo y sus amigos están comiendo cada uno una orden de enchiladas. Gerardo se ha comido $\frac{1}{2}$ de su orden, a Carolina le queda $\frac{3}{4}$, Pamela ha comido $\frac{2}{3}$ y a Eduardo le queda $\frac{1}{3}$. Entre todos, ¿cuántas ordenes de enchiladas han comido?

   a) $\frac{17}{12}$ **b)** $\frac{27}{12}$ **c)** $\frac{7}{12}$ **d)** $\frac{6}{12}$

4. Observa las imágenes. ¿Cuál de ellas es un prisma?

5. Partiendo del punto rojo, marca los siguientes uno a continuación del otro:

❖ 4 cuadros a la izquierda y 4 hacia arriba: punto verde;
❖ 4 a la derecha y 15 hacia arriba: punto azul;
❖ 4 a la derecha y 15 hacia abajo: punto negro.

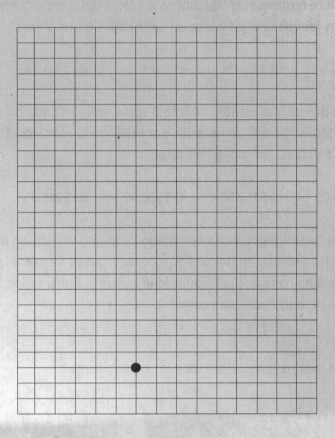

❖ ¿Qué figura formaste uniendo los 4 puntos?
   a) Paralelogramo   **b)** Cuadrado   **c)** Rectángulo   **d)** Cuadrilátero

Autoevaluación

En las casillas correspondientes, marca con una paloma ✔ lo que mejor refleje lo que piensas.

Contenidos procedimentales	Siempre lo hago	Lo hago a veces	Difícilmente lo hago
Resuelvo problemas que implican multiplicar números naturales por fraccionarios o decimales.			
Puedo elaborar e interpretar gráficas de barras.			
Localizo objetos usando como sistema de referencia una cuadrícula.			
Clasifico prismas por medio de sus características.			
Clasifico pirámides por medio de sus características.			

Contenidos actitudinales	Siempre lo hago	Lo hago a veces	Difícilmente lo hago
Escucho con respeto las opiniones de mis compañeros.			
Me gusta trabajar en equipo.			
Respeto las reglas del grupo.			
Cuando trabajo en equipo, aprendo de mis compañeros y efectúo mejor las cosas que si las llevo a cabo individualmente.			

Bloque V

Aprendizajes esperados

- Resuelve problemas que implican expresar la razón que guardan dos cantidades por medio de fracciones.
- Ubica números decimales en la recta numérica a partir de distintas informaciones.
- Resuelve problemas que implican dividir números naturales para obtener un cociente decimal.
- Establece relaciones entre operaciones inversas (multiplicación y división) para encontrar resultados.
- Resuelve problemas que implican establecer relaciones entre unidades y periodos.
- Distingue variaciones proporcionales y no proporcionales en diversas situaciones.
- Resuelve problemas que implican reconocer si el promedio es representativo en un conjunto de datos.

Significado y uso de los números

Números fraccionarios
Expresa por medio de fracciones la razón
que guardan dos cantidades.

44
Razonamiento
de números

Lo que conozco. En parejas, contesten las preguntas.

Ana y Luis fueron a la paletería La Helada porque quieren aprovechar la promoción del mes. Observa el cartel.

PALETERÍA
LA HELADA
Por cada 8 paletas que compres,
te regalamos otras 2

❖ Si compran 16 paletas, ¿cuántas se llevan de regalo? _____
❖ ¿Cuántas paletas necesitan comprar para llevarse de regalo 10? _____
❖ Con la información de la promoción, completen la siguiente tabla.

Paletas pagadas	Paletas de regalo
24	
32	
	10
80	
	80
	96
	100
528	
4 000	
	1 020

❖ Representen la promoción con una fracción, es decir, la relación de paletas de regalo entre las pagadas. _____

Comparen sus respuestas con las de otras parejas.

1. Contesten las preguntas y completen la tabla.

La paletería que se encuentra enfrente de La Helada ofrece la siguiente promoción:

Paletas pagadas	Paletas de regalo	Razón
15	3	$\frac{3}{15} = \frac{1}{15}$
30		
45		
60		
75		
	18	
	30	
210		
900		
	600	

Por cada 15 paletas que compres, te regalamos otras 3

❖ Representen la promoción con una fracción. _____

❖ La fracción de paletas regaladas con respecto a las compradas, ¿es mayor o menor que uno? _____

❖ ¿Qué significaría que la fracción fuera mayor que uno? _____

❖ ¿Qué significaría que la fracción fuera mayor que $\frac{1}{5}$? _____

2. Completa la tabla con la información que se proporciona.

El maestro Miguel da una clase de lunes a viernes. Le pagan $54.00 al día y gasta diariamente $14.00 en pasajes.

❖ Representa en la tabla lo que acumula de ingresos y gastos en una semana.

❖ Si el mes pasado ganó $1 080.00, ¿cuántos días trabajó y cuánto gastó en pasajes?_____

❖ Entonces, por cada $7.00 que gasta gana. _____

Gana por día	Utiliza para los pasajes	Razón
$54.00	$14.00	$\frac{14}{54} = \frac{7}{27}$
	$28.00	$\frac{7}{27}$
$162.00		$\frac{7}{27}$
	$56.00	$\frac{7}{27}$

Por cada 30 paletas que compres te regalan 6, o cada 45, 9. Esto equivale a decir que por cada 5 te regalan una paleta.

La razón entre el número de unas y otras es siempre constante:

$$\frac{\text{paletas regaladas}}{\text{paletas compradas}} = \frac{6}{30} = \frac{9}{45} = \frac{1}{5}$$

Cuando una razón es constante se llama **razón de proporcionalidad**; en este caso, la razón de proporcionalidad es $\frac{1}{5}$.

RETO

En equipos, resuelvan el siguiente problema.

CUADERNO
$10.00

PAPELERÍA
LA GOMA
Por cada $10.00 de compra te descontamos $3.00

PAPELERÍA
El Lápiz
25% de descuento del total de su compra

PAPELERÍA
El Gis
Compra 5 cuadernos y paga sólo 4

❖ Luis necesita comprar 5 cuadernos para la escuela. En las tres papelerías cercanas a su casa, los cuadernos cuestan $10.00, pero cada una ofrece una promoción diferente.

❖ ¿En qué papelería le conviene comprar los cuadernos? _____

❖ Expliquen su respuesta. _____

❖ Encuentren la razón de lo que tiene que pagar en cada papelería con respecto al precio original y compárenlas:

❖ En El Gis el pago es _____ del precio original.

❖ En El Lápiz el pago es _____ del precio original.

❖ Encuentren la razón entre el descuento y el precio original y compárenlas.

❖ En La Goma el descuento es $\frac{3}{10}$ del precio original.

❖ En El Gis el descuento es de _____

❖ En El Lápiz el descuento es de _____

45 Dividir la recta en decimales

Lo que conozco. En equipos, lean el siguiente texto y después contesten las preguntas.

La temperatura corporal normal de un ser humano es de entre 36.5 a 37.5 °C. Si una persona tiene una temperatura superior o inferior a este rango, significa que tiene problemas de salud y debe acudir al médico.
Ubiquen las siguientes temperaturas en el termómetro clínico y señalen cuáles están fuera del rango normal.

34.5 °C   **40.25 °C**   **41.8 °C**   **38.75 °C**

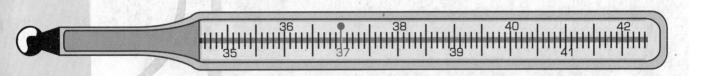

1. En parejas, localicen los números que se indican en la recta numérica que corresponde.

❖ 3.5 y 3.45

❖ 3.45 y 3.55

❖ 0.1, 0.2, 0.5, 0.25, 0.8 y 1.1

❖ 5.02 y 5.05

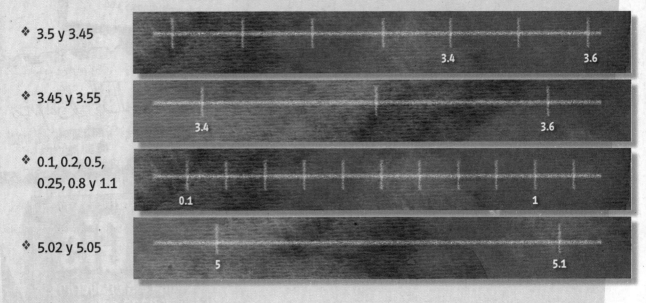

2. En parejas, anoten el número correspondiente en cada recuadro y contesten las preguntas.

❖ En la última recta, ¿qué número va en el centro? _____

❖ ¿Cómo lo sabes? _____
_____

❖ ¿Es 5.1 igual a 5.10? _____

❖ ¿Cuál es el número que se localiza a la mitad entre 5.10 y 5.15?

❖ ¿Es 5.1 igual a 5.100? _____ ¿Por qué? _____
_____

❖ ¿Es 5.15 igual a 5.150? _____ ¿Por qué? _____
_____

❖ ¿Cuál es el número que se localiza a la mitad entre 5.100 y 5.150?
_____

RETO

❖ ¿Qué número es mayor 5.15 o 5.100? _____ ¿Por qué? _____
_____

❖ Comprueben su respuesta en la siguiente recta numérica.

0

Significado y uso de los números

Problemas multiplicativos
Divide números naturales para obtener un cociente decimal.

46
Obtén
decimales

Lo que conozco. En equipos, lean los problemas y contesten las preguntas.

Para el próximo cumpleaños de su mamá, Sergio y sus tres hermanos quieren prepararle una comida. El costo total de los ingredientes es de $134.00. Si todos deben aportar la misma cantidad, ¿cuánto debe ahorrar cada uno? _____

_____

Expliquen a su maestro y a sus compañeros cómo resolvieron el problema.

❖ Alicia pagó $710.00 por 200 bolígrafos. Si cada uno tiene el mismo precio, ¿cuánto costó cada bolígrafo? _____

❖ Luisa quiere confeccionar 40 moños del mismo tamaño con 32 metros de listón. ¿Qué longitud de listón utilizará para cada uno? _____

❖ Don Fernando les dio $161.00 a sus 5 nietos para que se los repartieran en partes iguales. ¿Cuánto le toca a cada uno? _____

Para resolver el problema de don Fernando, al dividir 161 entre 5:

```
        3 2 . 2
  5 │ 1 6 1 . 0
    - 1 5
        1 1
      - 1 0
          1   0   (décimos)
        - 1   0
              0
```

Al último residuo 1 se le agrega un 0.
Como 10 entre 5 es 2, éste se coloca después del punto decimal.

❖ Si un paquete de 100 hojas mide 1 cm de altura, ¿cuál es el grosor de una hoja?

_____

1. En parejas, resuelvan los siguientes problemas.

❖ Un grupo de campesinos tiene un terreno de 3 278 m². Si éste se divide en cinco partes iguales para sembrar cinco tipos de granos diferentes, ¿qué área de terreno corresponde a cada grano?

_____

❖ La siguiente tabla muestra los productos y la cantidad que cosecharon 16 familias de un ejido. Complétenla considerando que los productos se repartirán en partes iguales.

Producto	Kilogramos cosechados	Kilogramos por familia
Frijol	2 100	
Arroz	2 800	
Lentejas	2 012	

2. Resuelve en tu cuaderno las siguientes divisiones hasta centésimos.

$$8\,\big|\,6\;2\;8 \qquad\qquad 3\;2\,\big|\,8\;4\;1$$

$$2\;5\,\big|\,4\;6\;0 \qquad\qquad 5\,\big|\,7$$

$$1\;5\,\big|\,6\;5$$

RETO

Reúnete con un compañero y ordenen de menor a mayor los números de cada serie.

❖ 0.68, $\frac{3}{4}$, 0.35 _____ < _____ < _____

❖ 1, $\frac{8}{6}$, 2 _____ < _____ < _____

❖ 0.84, $\frac{2}{5}$, 0.38 _____ < _____ < _____

❖ 2, $\frac{7}{2}$, 3 _____ < _____ < _____

❖ 0.45, $\frac{2}{8}$, 0.82 _____ < _____ < _____

Comparen sus respuestas con las de otros compañeros y analicen con su maestro qué necesitan saber para resolver este tipo de ejercicios.

47
Multiplicar
o dividir

Lo que conozco. Lee la siguiente situación y contesta lo que se te pide, sin usar la calculadora.

Sebastián participó en el concurso de matemáticas de su escuela y obtuvo como premio un juego de imanes y balines. La caja tiene 36 imanes de cada uno de los siguientes colores: amarillo, verde, rojo y azul.

❖ ¿Cuántos imanes tiene en total la caja? _____

❖ Si hay un balín por cada 6 imanes, ¿cuántos balines contiene? _____

❖ Si en lugar de tener 36 imanes de cada color tuviera sólo la mitad, ¿cuántos contendría el juego? _____

❖ ¿Qué operación realizaste para obtener la respuesta de las preguntas anteriores? _____

❖ En una caja con 72 imanes, si por cada 3 imanes se tiene un balín, ¿cuántos balines hay? _____

❖ ¿Cuántos balines tendría la caja anterior si por cada 6 imanes hubiera un balín? _____

❖ Reúnete con un compañero y comenta qué operaciones emplearon y por qué.

1. En parejas, analicen los siguientes casos; posteriormente, hagan lo que se pide.

José y Carla juegan a adivinar números.

Caso A
Carla: —Piensa un número, pero no me lo digas. Súmale 48. ¿Qué número obtuviste?
José: —107.
Carla: —Entonces el número que pensaste es 59.
José: —Correcto.

Caso B
José: —Piensa un número, pero no me lo digas. Réstale 40. ¿Qué número obtuviste?
Carla: —85.
José: —Entonces el número que pensaste es 125.
Carla: —Correcto.

Caso C

Carla: —Piensa un número. Multiplícalo por 2. Al resultado súmale 5. ¿Qué número obtuviste?

José: —29.

Carla: —El número que pensaste es 12.

José: —Correcto.

Encuentren una explicación para identificar cada número pensado.

_____

_____

_____

_____

_____

_____

Caso D

José: —Piensa un número. Divídelo entre 2. Al resultado réstale 4. ¿Qué número obtuviste?

Carla: —11.

José: —El número que pensaste es 30.

Carla: —Correcto.

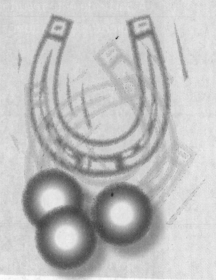

2. Resuelve los siguientes problemas con un compañero.

Cuando se usa calculadora, frecuentemente se oprimen teclas por error. En los siguientes casos, indiquen cómo obtendrían el resultado que inicialmente se quería sin borrar el que ya se obtuvo.

❖ Se tecleó 35 × 100, pero se quería obtener 35 por 50._____

❖ Se tecleó 325 × 500; se quería obtener 325 × 50. _____
_____

❖ Se tecleó 35 × 600; se quería obtener 35 por 30. ¿Cómo lo corriges esta vez? _____
_____

❖ Cuando todo el grupo termine, verifiquen sus respuestas y compárenlas. Describan en su cuaderno cómo encontraron las respuestas.

RETO

Observa la siguiente operación.

$$25 \times 200 = 5\,000$$

A partir de este resultado, busca una forma para resolver las siguientes operaciones.

50 x 100 = _____

25 x 50 = _____

5 000 ÷ 25 = _____

5 000 ÷ 50 = _____

Observa lo siguiente:

$$28 \times 16 = 448$$

A partir de esta operación, busca una forma para resolver lo que sigue:

448 ÷ 16 = _____

448 ÷ 8 = _____

448 ÷ 4 = _____

28 x 8 = _____

28 x 4 = _____

14 x 16 = _____

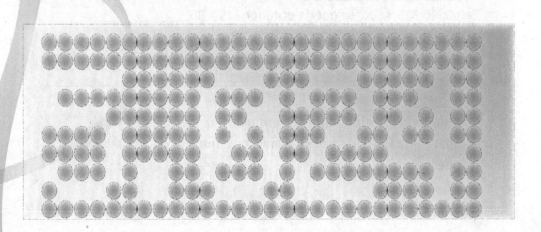

48

Diseños con figuras geométricas

Lo que conozco. En la clase de Historia, la maestra Diana platicó a sus alumnos que desde el año 4000 antes de nuestra era algunas civilizaciones utilizaban teselados para decorar sus casas y templos. Los sumerios, por ejemplo, usaban mosaicos de formas geométricas. Posteriormente, otros pueblos, como los persas y los árabes, perfeccionaron esa técnica de decoración. Actualmente, en el Palacio de la Alhambra en Granada, España, se pueden apreciar los diseños de teselados más bellos del mundo.

¿Has visto algún teselado? _____ ¿En dónde? _____
_____

1. En equipo, reproduzcan las siguientes figuras geométricas sobre una cartulina y recórtenlas. Después, lleven a cabo las actividades.

Imaginen que en el piso de su salón se van a colocar mosaicos con formas geométricas como las que recortaron y ustedes tienen que decidir con cuáles es posible cubrir el piso sin dejar huecos y sin que se encimen. Sólo se pueden recortar las figuras que quedan pegadas a la orilla de la pared.

❖ ¿Con que figuras pueden cubrir el piso? _____
_____

❖ Cubran tres hojas blancas utilizando como molde las figuras de cartulina. En la primera usen un solo tipo de figura; en la segunda, dos tipos de figuras, y en la tercera, tres tipos de figuras.

❖ Cuando terminen su diseño, muéstrenlo a todo el grupo y expliquen por qué lo hicieron de ese modo.

❖ ¿Pueden cubrir hojas más grandes con sus diseños? _____

❖ ¿Podrían cubrir el piso de todo el salón con sus diseños? _____

❖ Los diseños que hicieron se conocen como teselados. Formen un mural con los de todos los equipos. Con la orientación de su maestro, escriban en el pizarrón las instrucciones para hacer un teselado y después cópienlas en su cuaderno.

Consulta en...

En este sitio conocerás más sobre los teselados:
http://redescolar.ilce.edu.mx/educontinua/mate/nombres/penrose_01.htm

Para crear tus propios teselados entra en el siguiente enlace:
http://www.eduteka.org/MI/master/interactivate/activities/Tessellate/Index.html

Y aquí podrás ver teselados creados por otros niños, como tú:
http://centros5.pntic.mec.es/sierrami/dematesna/demates12/dematesna0001/opciones/Teselaciones.htm

2. ¿Qué figuras geométricas hay en el siguiente teselado y cómo están acomodadas? _____

_____

_____

_____

Con tu juego de geometría y colores, reproduce en tu cuaderno este teselado.

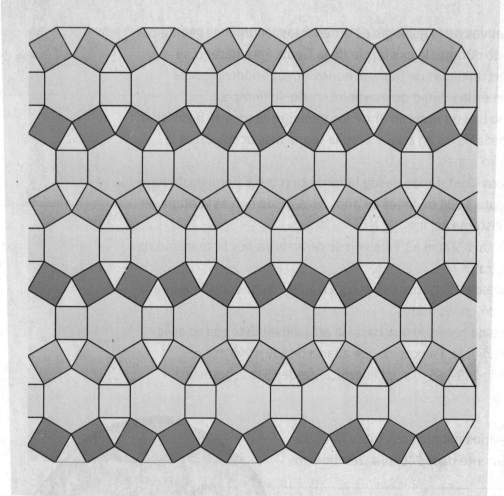

Cubre una hoja con la siguiente tesela.

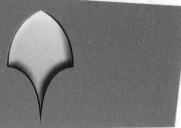

49

El tiempo pasa

Lo que conozco. Con un compañero, lee la siguiente información y respondan lo que se indica.

Uno de los objetivos de la geología es ordenar los fenómenos geológicos que han ocurrido durante la existencia de la Tierra. Para hacerlo, se utilizan distintas unidades de tiempo: eones, eras, periodos, épocas y edades. El eón es la unidad de mayor intervalo de tiempo. Actualmente, no hay un acuerdo entre los geólogos acerca de la división de la historia de la Tierra en eones, pero la teoría más aceptada es la división en cuatro eones.

Hadeico o **Hádico.** Comprende desde la formación de la Tierra hasta hace aproximadamente 3 800 millones de años (m.a.). Este eón es la etapa de formación del sistema solar.

Arcaico (3 800 m.a.-2 500 m.a.). Este eón se caracteriza por la aparición de la vida en la Tierra.

Proterozoico (desde 2 500 m.a.-590 m.a.). En este eón se considera que la vida se diversificó en los mares.

Fanerozoico (desde hace 590 m.a. hasta la actualidad). Este eón se divide en tres eras geológicas: Paleozoica que abarca de 590 a 245 m.a.; Mesozoica, desde 245 a 65 m.a., y Cenozoica, desde 65 m.a. hasta la actualidad.

❖ Si los dinosaurios aparecieron sobre la Tierra aproximadamente hace 205 m. a., ¿en qué era surgieron? _____

❖ ¿Qué unidad de tiempo se utiliza en los eones y en las eras geológicas?

_____

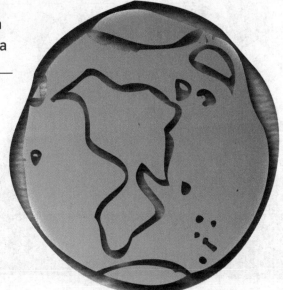

1. La línea del tiempo permite ubicar y relacionar distintos acontecimientos en un periodo histórico. En tu libro de Historia has visto algunas líneas del tiempo.

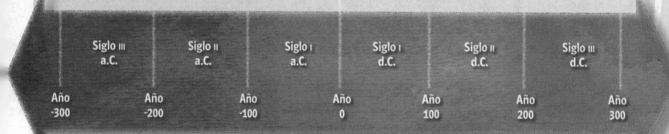

Nacimiento de Cristo

Era antes de Cristo (a.C.) o antes de nuestra era (a.n.e.)

Era después de Cristo (d.C.) o después de nuestra era (d.n.e.)

| Siglo III a.C. | Siglo II a.C. | Siglo I a.C. | Siglo I d.C. | Siglo II d.C. | Siglo III d.C. |

Año -300 Año -200 Año -100 Año 0 Año 100 Año 200 Año 300

❖ ¿Qué suceso marca el año cero? _____

❖ ¿Qué tipo de números se utilizan para escribir los siglos? _____

❖ ¿Cuántos años tiene un siglo? _____

❖ ¿Por qué los años del siglo II d.C. están entre el 101 y el 200? Antes de contestar, reflexionen sobre el siguiente ejemplo: cuando ves una carrera en la que los atletas deben dar cuatro vueltas al circuito, decimos que van en la primera vuelta desde que inician la carrera hasta que cruzan la meta por primera vez. _____

_____

_____

❖ ¿Qué otras unidades de tiempo conoces? _____

_____

_____

2. Completa la tabla de unidades de tiempo, después contesta las preguntas.

Milenio	años
Siglo	años
Década	años
Lustro	años
Año	días
	meses
Mes	semanas
	días
Semana	días
Día	horas
Hora	minutos
Minuto	segundos

❖ ¿Qué unidades de tiempo se utilizan para hablar de hechos históricos distantes? _____

_____

❖ ¿Qué unidades de tiempo se utilizan para medir la edad de las personas? _____

❖ ¿Qué unidades de tiempo se utilizan para referirse al transcurso de un día?

_____

3. En parejas, realicen la actividad siguiente.

El horario de clases en una escuela secundaria inicia a las 7:30 a.m. y termina a las 2:20 p.m. Las sesiones de clase duran 50 minutos con un descanso de 10 minutos entre clase y clase.

Nombre del profesor	Hora de entrada	Hora de salida
Víctor	7:30	11:20
Santos	11:30	14:20
José Luis	8:30	11:20

Los profesores en esta escuela secundaria tienen horarios distintos. Con base en los datos de la tabla contesten:

❖ ¿A qué hora termina la segunda clase?

_____

❖ ¿A qué hora inicia la penúltima clase?

_____

❖ El profesor José Luis descansa los miércoles y los demás días llega a la escuela una hora antes para preparar los materiales de la clase de Biología. ¿Cuánto tiempo permanece semanalmente en la escuela? _____ horas y _____ minutos.

❖ Si el profesor Víctor asiste todos los días a la escuela, ¿cuánto tiempo permanece en la escuela al mes? _____ horas y _____ minutos. Considera que el mes tiene únicamente 4 semanas.

❖ El horario del profesor Santos corresponde únicamente a los días martes y jueves. Si todos los días entra a la misma hora y en total permanece 8 horas con 20 minutos a la semana, incluidos los descansos, ¿cuánto tiempo permanece los demás días? _____ _____

Para medir unidades de tiempo en una unidad menor o una mayor, debes multiplicar o dividir.
Ejemplo:

Como sabemos, una hora son 60 min y 1 min, 60 seg.
3 horas son 3 × 60 min = 180 min
1 500 segundos son 1 500 ÷ 60 min = 25 min

RETO

❖ Escribe tu edad en años, meses y días. _____

❖ Expresa tu edad en días. _____

❖ Pide a tres personas que te digan su edad exacta, es decir, con años, meses y días y calcula aproximadamente cuántos días han vivido esas personas.

Análisis de la información

Relaciones de proporcionalidad
Distingue situaciones de variación proporcional de las que no varían proporcionalmente y elabora una definición de la proporcionalidad.

50
Aumenta y disminuye
proporcionalmente

Lo que conozco. En parejas, efectúen los cálculos necesarios para completar las tablas de cada caso y respondan las preguntas.

Caso 1

Lado del cuadrado (m)	2	3		5	10	40
Perímetro (m)	8		16	40		

Relación entre la longitud del lado de un cuadrado y su perímetro.

❖ Si el lado del cuadrado aumenta el doble o el triple, ¿qué pasa con el perímetro? _____

❖ Si el lado del cuadrado disminuye a la mitad, ¿qué ocurre con el perímetro? _____

Caso 2

Lado del cuadrado (cm)	·2		4	6	10	40
Área (cm²)	4	9			100	

Relación entre la longitud del lado de un cuadrado y su área.

❖ Si se duplica la longitud del lado del cuadrado, ¿qué sucede con el área? _____

❖ Si se triplica la longitud del lado del cuadrado, ¿cuántas veces aumenta su área? _____

Caso 3

Tiempo (s)	2	3	6	9		15
Número de botones	16	24		72	100	

Relación entre el tiempo y el número de botones que produce una máquina.

❖ ¿Cómo cambia el número de botones en comparación con la variación del tiempo? _____

❖ ¿Cómo obtuvieron el número de botones a partir del número de segundos y viceversa? _____

Caso 4

Edad del bebé (meses)	1	2		4	6	8
Estatura (cm)	55	57	60	61	68	

Relación entre la edad y la estatura de un bebé.

❖ ¿Varían proporcionalmente la edad del bebé y su estatura?
_____ ¿Por qué? _____

1. Con base en los resultados de los casos anteriores, responde las preguntas.

❖ ¿Cuáles de las tablas corresponden a una situación de proporcionalidad? _____
❖ ¿Cuáles no corresponden a una variación proporcional? _____

Redacta una definición de variación proporcional y otra de variación no proporcional, con ayuda de tu maestro y de tus compañeros. Escríbelas en tu cuaderno.

RETO

Elabora en tu cuaderno una tabla de variación proporcional y otra de variación no proporcional, relacionadas con situaciones conocidas. Muéstralas al maestro y a tus compañeros.

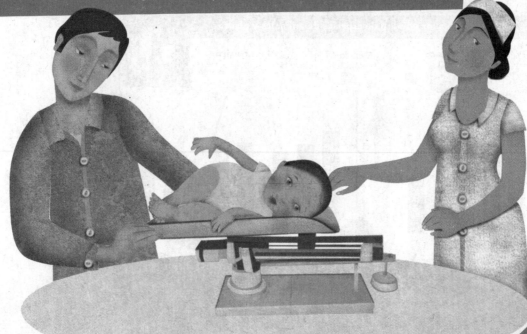

Análisis de la información

Medidas de tendencia central
Representa un conjunto de datos con la media (promedio).

51
Promedios

Lo que conozco. Organizados en equipos, resuelvan los problemas siguientes.

Unos niños llevan al salón de clases varios dulces. Andrés lleva 5, María 8, José 6, Carmen 1 y Daniel no lleva ninguno.

❖ ¿Cómo repartirías los dulces entre ellos de manera equitativa? _____
_____

❖ ¿Cuántos dulces en promedio llevó cada niño? _____
_____

Ocho estudiantes pesan un objeto pequeño con una misma báscula y obtienen los siguientes valores en gramos: 62, 60, 61, 64, 61, 62, 61, 62.

❖ ¿Cuál es el de mayor masa reportada? _____

❖ ¿Cuál es el de menor masa reportada? _____

❖ ¿Cuál será la masa del objeto más próxima a la real? _____
¿Por qué? _____
_____

1. Con un compañero, contesta las preguntas siguientes.

En la clase de Ciencias Naturales la maestra platicó acerca de los países a los que se denomina megadiversos, entre los que se encuentra México.

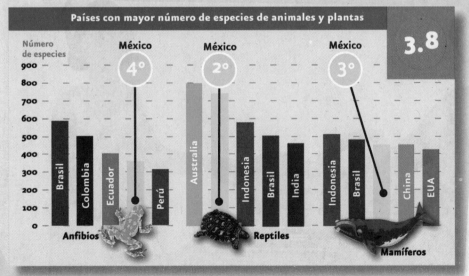

Tomado de *¿Y el medio ambiente? Problemas en México y el mundo*, México, Semarnat, 2007, p. 52.

❖ ¿Qué país tiene el mayor número de especies de anfibios? _____
_____

❖ ¿Qué países tienen mayor número de especies de mamíferos que México? _____
_____

❖ De los cinco países que se encuentran en la gráfica, ¿cuál es el número total de especies de anfibios?_____
_____

❖ ¿Cuál es el promedio del número de especies de anfibios en los cinco países? _____
_____

Obtén el promedio de especies de reptiles que hay en los cinco países presentados._____
_____
_____

❖ ¿Cuál es el promedio de especies de mamíferos que hay en Indonesia, México y Estados Unidos? _____
_____

Para obtener un promedio se calcula la suma de todos los datos y el resultado se divide entre el número total de datos. Por ejemplo, en la actividad se sumó el número de especies de anfibios de los 5 países y luego se dividió entre 5 para encontrar la media o promedio.
La moda es el valor que se repite más veces en una serie de datos.

2. Organizados en equipos, analicen la siguiente situación.

La tabla muestra los salarios en pesos de 15 empleados de tres empresas textiles.

Empleado	Textiles del Pacífico ($)	Textiles del Golfo ($)	Textiles del Caribe ($)
1	500.00	600.00	500.00
2	700.00	600.00	800.00
3	700.00	600.00	1 400.00
4	800.00	600.00	1 400.00
5	800.00	600.00	1 400.00
6	1 000.00	600.00	1 400.00
7	1 000.00	900.00	1 400.00
8	1 000.00	900.00	1 400.00
9	1 000.00	1 000.00	1 400.00
10	2 000.00	1 000.00	1 600.00
11	2 000.00	1 500.00	1 600.00
12	2 000.00	2 000.00	1 600.00
13	2 000.00	2 000.00	1 600.00
14	3 000.00	2 600.00	2 000.00
15	4 000.00	7 000.00	3 000.00

Con los datos anteriores, encuentren la moda y la media de cada empresa textil. Pueden utilizar su calculadora.

Empresa textil	Moda	Media o promedio
Textiles del Pacífico		
Textiles del Golfo		
Textiles del Caribe		

¿En qué empresas la media es representativa de los sueldos de los empleados? _____

¿En cuáles, la moda? _____

_____

_____

Expliquen sus respuestas.

_____

_____

_____

_____

RETO

Contesta las preguntas siguientes.

Las tallas de calzado, en centímetros, de un grupo de estudiantes son las siguientes:

22, 23, 24, 22, 23, 27, 23, 22, 24, 25, 24, 26, 25, 26, 24, 26, 25, 26, 24, 26,

26, 24, 25, 26, 25, 23, 27

¿Cuál medida es más representativa de la talla de calzado del grupo, la moda o la media? _____ ¿Por qué? _____

_____

Integro lo aprendido

Ahora aplicarás los conocimientos construidos durante el bloque. Resuelve los problemas siguientes.

1. Realiza la siguiente actividad; utiliza tu calculadora para hacer las operaciones.

	Total	Hombre	Mujer	Razón de mujeres en relación con la población total
Estados Unidos Mexicanos	103 263 388	50 249 955	53 013 433	0.51
Aguascalientes	1 065 416	515 364	550 052	0.51
Baja California	2 844 469	1 431 789	1 412 680	0.49
Baja California Sur	512 170	261 288	250 882	0.48
Campeche	754 730	373 457	381 273	0.50
Coahuila	2 495 200	1 236 880	1 258 320	0.50
Colima	567 996	280 005	287 991	0.50
Chiapas	4 293 459	2 108 830	2 184 629	0.50
Chihuahua	3 241 444	1 610 275	1 631 169	0.50
Distrito Federal	8 720 916	4 171 683	4 549 233	0.52
Durango	1 509 117	738 095	771 022	0.51
Guanajuato	4 893 812	2 329 136	2 564 676	0.52
Guerrero	3 115 202	1 499 453	1 615 749	0.51
Hidalgo	2 345 514	1 125 188	1 220 326	0.52
Jalisco	6 752 113	3 278 822	3 473 291	0.51
México	14 007 495	6 832 822	7 174 673	0.51
Michoacán	3 966 073	1 892 377	2 073 696	0.52
Morelos	1 612 899	775 311	837 588	0.51
Nayarit	949 684	469 204	480 480	0.50
Nuevo León	4 199 292	2 090 673	2 108 619	0.50
Oaxaca	3 506 821	1 674 855	1 831 966	0.52
Puebla	5 383 133	2 578 664	2 804 469	0.52
Querétaro	1 598 139	772 759	825 380	0.51
Quintana Roo	1 135 309	574 837	560 472	0.49
San Luis Potosí	2 410 414	1 167 308	1 243 106	0.51
Sinaloa	2 608 442	1 294 617	1 313 825	0.50

	Total	Hombre	Mujer	Razón de mujeres en relación con la población total
Sonora	2 394 861	1 198 154	1 196 707	0.49
Tabasco	1 989 969	977 785	1 012 184	0.50
Tamaulipas	3 024 238	1 493 573	1 530 665	0.50
Tlaxcala	1 068 207	517 477	550 730	0.51
Veracruz	7 110 214	3 423 379	3 686 835	0.51
Yucatán	1 818 948	896 562	922 386	0.50
Zacatecas	1 367 692	659 333	708 359	0.51

Fuente: Inegi, II Conteo de población y vivienda, 2005.

❖ Si los censos económicos se realizan cada lustro, ¿cada cuántos años tienen lugar? _____

_____

❖ ¿Cuál es la fracción decimal que representa la razón de mujeres respecto a la población total en la entidad donde vives?_____

_____

❖ ¿En qué otras entidades la razón de mujeres respecto de la población es la misma que la de la entidad donde vives? _____

_____

_____

❖ Esas entidades, ¿tienen la misma población de mujeres que la entidad donde vives? _____ ¿Es mayor o menor? _____ Entonces, ¿por qué tienen la misma razón? _____

_____

_____

❖ ¿Cuál es el promedio de la población total en los estados de Baja California, Sonora, Chihuahua, Coahuila, Nuevo León y Tamaulipas?

_____

_____

❖ Localiza en una recta numérica las distintas razones de la tabla anterior.

```
+-------------------+-------------------------->
0                   1
```

2. Las tablas siguientes muestran la relación entre el precio y la cantidad de cuadernos de un mismo tipo en dos tiendas.

Tienda A

Precio	$21.00	$35.00	$36.00	$54.00	$60.00
Número de cuadernos	3	5	6	9	10

Tienda B

Precio	$18.00	$30.00	$36.00	$54.00	$ 60.00
Número de cuadernos	3	5	6	9	10

❖ ¿En qué tabla la relación es proporcional? _____

   ¿Por qué? _____

   _____

❖ ¿El precio de cada cuaderno es constante en cada tienda? _____

   ¿Por qué? _____

   _____

3. Para realizar un experimento en el laboratorio escolar, Lucy y sus amigos colocaron un recipiente con agua y la pusieron a calentar. Después de un rato, al introducir el termómetro éste registró una temperatura de 76.7 °C. Dibuja una recta numérica y representa el lugar que le corresponde a este valor.

4. Lucy va a calcular algunas divisiones que ordenará de mayor a menor a partir de su resultado. Ayúdale a hacerlo y escríbelas en las líneas.

   8 | 5 . 0   5 | 3 . 0   3 | 2 . 0

   _____   _____   _____

Evaluación

A continuación resolverás problemas en los que aplicarás los conocimientos aprendidos durante el bloque.

Instrucciones. Encierra la letra que corresponda a la respuesta correcta.

1. Juan va a comprar paletas y debe escoger la opción más conveniente. ¿Cuál debe elegir?
   a) 2 paletas por 5 pesos
   b) 3 paletas por 7 pesos
   c) 4 paletas por 8 pesos
   d) 6 paletas por 10 pesos

2. ¿Qué número está señalado en la recta numérica?

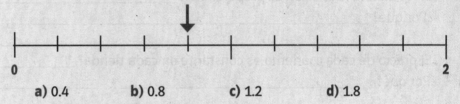

   a) 0.4   **b)** 0.8   **c)** 1.2   **d)** 1.8

3. ¿Cuál es el resultado de la siguiente división?

$$40\overline{)30}$$

   a) 0.43
   b) 0.34
   c) 1.33
   d) 0.75

4. ¿Cuál de las unidades de medida del tiempo es más apropiada para medir la época en que vivieron los dinosaurios?
   a) Siglos
   b) Lustros
   c) Décadas
   d) Eras

5. ¿Qué fecha señala correctamente la afirmación "Una década antes del inicio del siglo xx"?

a) 1910

b) 1890

c) 1990

d) 2010

6. Miguel y Lucy entraron al cine a las 3:30 p.m. y la película tenía una duración de 140 minutos. ¿A qué hora terminó la película?

a) 5:50 p.m.

b) 5:20 p.m.

c) 5:10 p.m.

d) 6:10 p.m.

7. Las edades de 7 niños son las siguientes: 7, 8, 10, 7, 8, 9, 8. ¿Cuál es la moda de estos datos?

a) 7

b) 8

c) 9

d) 8.1

8. Con los mismos datos del problema anterior, determina la media.

a) 8

b) 8.1

c) 7.9

d) 9

9. Observa la gráfica y determina cuál es la moda:

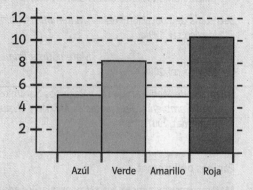

a) Azul   b) Amarillo   c) Verde   d) Roja

Autoevaluación

En las casillas correspondientes, marca con una paloma ✔ lo que mejor refleje lo que piensas.

Contenidos procedimentales	Siempre lo hago	Lo hago a veces	Difícilmente lo hago
Resuelvo problemas que implican establecer relaciones entre operaciones inversas.			
Distingo variaciones proporcionales en diferentes situaciones.			
Resuelvo problemas que implican expresar por medio de fracciones la razón que guardan dos cantidades.			
Reconozco en la solución de un problema si el promedio es una medida representativa.			

Contenidos actitudinales	Siempre lo hago	Lo hago a veces	Difícilmente lo hago
Escucho con respeto las opiniones de mis compañeros.			
Participo activamente en las actividades que se desarrollan en el grupo.			
Me gusta trabajar en equipo.			
Cuando trabajo en equipo, aprendo de mis compañeros y efectúo mejor las cosas que si las hago individualmente.			

Bibliografía

Ávila Storer, Alicia, *et al.*, *Guía del estudiante. Construcción del conocimiento matemático en la escuela. Antología básica*, México, UPN, 1994.

Brousseau, Guy, "Educación y didáctica de las matemáticas", *Educación Matemática*, México, Grupo Editorial Iberoamérica, 2000, vol. 12 (1) pp. 5-37.

Cantoral, Ricardo, *et al.*, *Desarrollo del pensamiento matemático*, México, Trillas, 2005.

Casanova, María Antonia, *La evaluación educativa. Escuela básica*, México, SEP (Biblioteca del Normalista), 1998.

Chamorro, María del Carmen, *et al.*, Didáctica de las matemáticas, Madrid, Pearson Educación, 2003.

López Frías, Blanca Silvia y Elsa María Hinojosa Kleen, *Evaluación del aprendizaje*, México, Trillas, 2001.

García Juárez, Marco Antonio, *et al.*, *Matemáticas. Quinto grado. Guía de orientaciones didácticas*, México, Esfinge, 1994.

Secretaría de Educación Pública, *Matemáticas. Quinto grado*, México, SEP, 1994.

_____, *Matemáticas. Primer grado*, México, SEP, 2006.

Secretaría de Medio Ambiente y Recursos Naturales, *¿Y el medio ambiente? Problemas en México y el mundo*, México, Semarnat, 2007.

Páginas de internet

Matemáticas sin número: http://redescolar.ilce.edu.mx/redescolar2008/educontinua/mate/mate.htm

¿Qué opinas de tu libro?

De acuerdo con tu opinión, marca con una paloma (✔) en el cuadro correspondiente la calificación que le otorgas a cada una de las afirmaciones que se hacen sobre este libro de texto.

Categorías	Mucho	Regular	Poco
Me gusta el libro.			
Me gusta la portada.			
El índice me brinda información que necesito.			
Entendí fácilmente el lenguaje utilizado.			
Me gustan las imágenes que aparecen en el libro.			
Las imágenes me ayudaron a comprender el tema tratado.			
Las instrucciones para realizar las actividades me resultaron fáciles de entender.			
Las actividades me animaron a trabajar en equipo.			
Las actividades me permitieron expresarme ante el grupo.			
Las actividades me exigieron buscar información que no aparecía en el libro.			
Las autoevaluaciones me permitieron reflexionar sobre lo que había aprendido.			

¿Qué le agregarías al libro? _____

_____

¿Qué le quitarías al libro? _____

_____

Escribe algún comentario que desees hacer acerca del libro.

_____

_____

SEP

Dirección General de materiales Educativos

Dirección de Desarrollo e Innovación de Materiales Educativos
Viaducto Río de la Piedad 507, cuarto piso,
Granjas México, Iztacalco,
08400, México, D. F.

Datos generales

Entidad: _____

Escuela: _____

Turno: Matutino ☐ Vespertino ☐ Escuela de tiempo completo ☐

Nombre del alumno: _____

Domicilio del alumno: _____

Grado: _____

Recortable